ちくま文庫

小説の惑星

オーシャンラズベリー篇

伊坂幸太郎 編

筑摩書房

小説の惑星　オーシャンラズベリー篇

目次

まえがき　小説の惑星について

伊坂幸太郎

子供のころから今まで読んできた小説の中で、本当に面白いと思ったものを集めてみました。見栄や知ったかぶり、忖度なく、「とびきり良い！」「とてつもなく好き」と感じたものばかりです。

十代で読んだものもあれば、デビュー後に知った作家の作品もあります。ミステリー小説と純文学が好きだったために、そのいずれかに分類される短編が自然と多くなりましたが、そういった偏りも含め、僕自身が大好きな小説たちです。

よく言われるように、今はたくさんの娯楽があります。時間は限られていますし、その中で無理やり、小説を読んでもらいたい、という気持ちはありません。誰もが自分の好きなものを楽しめばいいいな、といつも思っています。

また、読書好きの方であれば、すでに自分でお気に入りの作家や小説を見つけているでしょうし、読むべき本を指南してくれる信頼できる誰かがいるような気もします。

ですのでこのアンソロジーは、そういった人とは別の方たちのことを念頭におき、たとえば、「いくつか売れている小説を読んだのだけれど、面白いと思えなかったんです」であるとか、「ストーリーやどんでん返しは面白かったけれど、それだったらアニメや漫画、映画、ゲームでもいいかなと思った」であるとか、「あなたの書いた小説がどうもつまらないので、もう小説という娯楽には手を出さないようにします」であるとか、とにかくそういった相談をされた時に（あったら怖いけれど、ありそうな気もする）、「小説を見限るのはこれを読んでからにして！」と渡したい、そう思える本を目指しました。つまり、「これで小説はもういいかな、と思われたのなら仕方がない」と（僕は）諦めがつく、そういった作品たちです。

実力のあるスター選手を集めて、最強チームが結成される場合に、ドリームチームという表現が使われることがありますが、これはまさしく僕にとっての小説ドリームチームです。

ちなみに、大好きな小説のすべてを収録できたわけではありません。分量の問題もありますが、それ以上に、今回はできるだけ多くの人に「小説は面白い」と思ってもらいたいため、「読み終えた後に、なるべく暗い気持ちにならないようなもの」を選ぶ基準にしたことも大きかったのかもしれません。恐ろしいもの、不気味なもの、おぞましいもの、不謹慎なもの、そういった小説も素晴らしいですし、今回、作品を選んでいると自分にとってのお気に入りの作品はそういったもののほうが多いことにも気づきました。

ただ、今回はなるべく、笑えるもの、それも大声でげらげら笑うのではなく、ぷっと噴き出したり、にやにやしたり、もしくは苦笑いや泣き笑い、といった気持ちになる作品を優先することにしました（大江健三郎さんの「人間の羊」や古井由吉さんの「先導獣の話」は不穏さに満ちていますが、小説の巨人としか言いようがない二人の作家の、僕にとっては日本文学における大事な短編であったため、外すことはできませんでした）。

「小説はこんなに面白いんだよ」「これこそが小説の面白さだ」といった気持ちで選んだこの本は、「負ける気がしない」最強軍団です。おそらく、小説が好きな人たちには自分にとっての「負ける気がしない軍団」が存在しているでしょうから、「いや、こっちのほうが最強だ」と異論を唱えたい人もいるでしょう。ただ、それにしても負ける気がしない、という気持ちでこの二冊の本を作りました。

他人の褌で相撲を取る、どころか、自分で相撲も取っていないような形の本なので、こうして誇らしげに語ることが恥ずかしいところもあります。ただこの本の作品を面白いと感じてくれる人がいてくれれば、これほど嬉しいことはありません。

野暮を承知で補足しておきますと、「小説の面白さ」にはさまざまなものがあります。はっとさせられるオチの面白さもあれば、ストーリーとは別の、文章ならではの読み味が素晴らしいもの、作者の想像力や発想力に圧倒されるものもあります。この本に選んだ作品はそれらがごちゃまぜになっていますので、それぞれの「面白さ」を楽しんでもらえればいいな、と思います。

この本のカバーに関しては、自分がデビューしたころから、「いつか関わりが持てたら幸せだな」と思っていた、たむらしげるさんの作品を使わせていただきました。とてもうれしいです。二冊の本になったものの、「1巻／2巻」「上巻／下巻」といった順番をつけたくなかったため、「ノーザンブルーベリー篇」「オーシャンラズベリー篇」とつけさせてもらいましたが、これは、カバーのイラストの色の印象から、思い付きで名付けた形で、深い意味はありません。

電報

永井龍男

永井龍男（ながい・たつお）

一九〇四年、東京府生まれ。九〇年没。二〇年、「活版屋の話」が菊池寛に注目される。二四年、小林秀雄らと「山繭」を創刊。三二年、「オール讀物」編集長着任。六五年『一個その他』で野間文芸賞及び日本藝術院賞、七三年『コチャバンバ行き』で読売文学賞、七五年『秋』で川端康成文学賞を受賞。八一年、文化勲章受章。『皿皿皿と皿』『石版東京図絵』『青梅雨』他受賞歴・著作多数。

A

画商の波島は、京都を昼過ぎに出る「はと」に乗った。

手頃なスーツケース一つで、体に合った背広姿だった。脂(あぶら)の乗った三十五、六という年齢、程よい陽焼け具合、物ごとに動じそうもない風貌(ふうぼう)などが、いかにも「特二」馴(な)れした客らしかった。

網棚にケースを上げ、隣席の客に軽く会釈(えしゃく)して、腰を落着ける仕草の中にも、京都での仕事を終えた、気楽さがほのかに見えた。

サービス・ガールにも顔馴染(なじ)みがあって、目礼して通るのがあった。

波島は、やがて雑誌をひろげた。

東京・京都間を、絶えず往復している人の常で、窓外の風景なぞに、無駄な視力は使わない。

列車の中では、普段読まないような雑誌を、駅の売店で買ったりする人もあるから、雑誌や新刊書の種類で、持主の評価をすることはできない。波島が総合雑誌を読んでいても、あくどい絵入り本を読んでいても、彼の知識程度や品格とは別問題である。

しかも彼は、椅子の背を深く傾けて、いつの間にか眠っていた。

列車は走り続けた。

車内の通路を、誰かしらが絶えず往復していた。

制帽をやや斜めに、洒落た形で髪の上にのせたサービス・ガールたちは、独楽のような重心の確かさと、緋鯉の稚魚のような敏捷さで、次ぎ次ぎに仕事を片付けていたので、彼女たちと通路ですれ違う人々は、その厚みのある胸や、張りきった臀部に触れないためには、かなり大袈裟に身を交わさなければならなかった。

食堂車や、トイレットに立った客が、左右に並んだボックスの中に知人の顔を見つけ、しばらく立ち話をするといった風景は、なにもこの列車に限られたことではないが、「人間という奴は、列車に乗ると不思議と知人に逢うものだ」という、不思議な習性を、みんなに証明して見せているようなものだった。

名古屋で、波島は眼をさました。

三時過ぎで、腹加減もちょうどよかったし、食堂車も少しはすいたはずだった。

渋い色調の蝶ネクタイを、ちょっと締め直して、波島は席を立った。

いくつかの重いドアを、一々明け立てするのは、列車旅行のうちで相当不愉快な部に属する動作である。波島は手を洗い、それから食堂車に入った。

二人で、窓際にさし向かいになるテーブルが一列、通路をへだてて、四人で顔を合わせるテーブルが一列。

いうまでもなく、白い卓布のテーブルが数脚、左右の窓に沿って並んでいる。

一番奥の二人掛けが空いていた。

波島は黒ビールと、小海老のフライを注文した。

B

すぐ前の二人が、席を立った。

白い卓布の上を、手早くブラッシュで拭い、皿を抱えた食堂ガールは、向かい合った二つの椅子の背を、テーブルを挟むように立てかけた。

予約の客があるしるしだった。

黒ビールのコップを手に、そんな動きを見るとなく見ていた波島は、やがて恰幅のよい男が、食堂ガールに案内されて、食堂車に入ってくるのを眼にした。

男は振り返って、連れになにかいっていた。レジスターの脇にある煙草を、買えというような簡単なジェスチュアだった。

予約の客だなと、波島はすぐ思った。

波島が、そんなありきたりのシーンから、そこで眼を離さなかったのは、二人連れでいまごろの時刻に席を予約するならば、おそらく一人は女だろう。どんな女を連れているんだという意識が、多少とも働いていたからであろう。

その通り、スーツの女が煙草を買っていた。

そしてその女は、五年前に別れた波島の女だった。

波島が、不意打ちを食ったのはもちろんだった。

この場合、できるだけ顔を伏せて、相手に覚られぬようにするのが定石だが、波島はそれをしなかった。不意打ちを食いながら、そのまま二人の近づくのを冷静な表情で見ていた。

だが、

「どうぞ」

と、二人を招じる食堂ガールの体が、波島の前を立ちふさいでしまった。まるで、神さまが気を利かしでもしたように。

その上食堂ガールは、

「お一人さんでしたら、こちらへ」と、三等客らしい学生を、波島の前の席へ呼び寄せた。

恰幅のいい男と、学生と、つまり二人の男を隔てて、波島は別れた女と対しているわけだったが、学生の肩越しに、男の背中があるだけで、女の様子は少しも見えはしなかった。

当然、女との日々を、なにかの匂いのように波島は思い出した。

「黒ビールと、小海老のフライを二つだ」

恰幅のよい男は、そんな注文をしていた。

波島という男は、妻というものを持たなかった。そのくせ、その女とは一年ばかり同棲した。三番目か四番目の女で、いまは六番目ぐらいの女と同棲している。画の売買をするように、どの相手とも一年二年で手際よく別れる業を持っている。いつも、妻ではなく「女」を傍に置いていた。

その女は、裁断の勉強に上京した、かなり裕福な家庭の娘だったが、画を習いたいというのが縁で、波島と交渉が生じた。地方の都市で、周囲に拘束されない自由な教育と、女子大生活をしてきたという娘らしい誇りが、かえって波島のつけ目になった。

どの女との生活でも、波島はいつもバランスを計っていた。重荷になってくると、別れる方策を立てる。その女の母親が危篤で帰郷した時に、東京でこういう男と同棲している旨の、匿名の手紙を書いて、波島はその親許へ送った。他の女とは、たいてい金で解決がついている。そんな策を用いたのは、波島としても特別なケースだった。

……それから五年目で、その女の姿に接したわけだ。

娘の不行跡を知った親たちが、無理矢理に女を連れ戻した形で別れている。顔を合わせて当惑するのは女の方だと、波島は計算を立てていた。自分より二つ三つ若いかも知れない、恰幅のよい男の襟もとから、向かい合いの女の顔をチラリと見下ろし、波島は自分の席へ戻った。

視線の合う場合も一応期待していたが、女はまったく気づかないらしかった。

若くておうような質（たち）だった、女の思い出がひろがった。

静岡の三分停車の間に、波島はホームへ降りて、明るく灯を点（つ）けた客車を順に見て行ったが、女の座席は分からなかった。まず、あの男と結婚したと見て間違いないが、あまり面白そうな男でもなさそうだと思った。

三分間はあわただしく過ぎた。デッキの鉄棒につかまり波島はしばらく風に当たった。

C

列車が丹那（たんな）トンネルに入ると、波島は奇妙な空想に身をまかせた。

馴れているはずのトンネルの長さが、今夜は押しかぶさるように感じられて、ふたたび明るみへは出られないような気までしてくるのだが、もしもこの列車が、このまま地中をくぐり続けて無人の世界へ出たとしたら、そこで列車中の人々は生存しなければならないわけだが、いったいどんな生活が始まるものであろうかと思うと、しばらく時を忘れることができた。

争闘も政治も、この世界と同じように行なわれ、何人かのボスが指揮権を握るだろうが、あの女は俺とあの男と、どちらを改めて自分の夫と呼ぶだろうか。

清潔なワイシャツと、渋い好みの蝶ネクタイをした波島は、しかし間もなく、列車が熱海駅に着くのを知った。

東京から女を呼び寄せておいて、旅の帰りにここへ降りるような生活も、何度となく経験している波島は、熱海と聞いても別段新しい気分は起こらなかったが、前席の人が買物をするために明けた車窓から、なにげなく構内へ眼をやると、別れた女と恰幅のよい男が、宿の番頭に付添われて階段を降りて行くところだった。

「まさか、新婚旅行でもあるまい」

ゆるく発車し始めた中で、波島は微苦笑めいた笑いをもらし、眼をつむった。

アルミの鍋蓋(なべぶた)を重ねるような雑音の前触れが、チャイムのコールに変わり、車掌のアナウンスがマイクを流れてきた。

「おおや　こまこさま。オオヤ　コマコさま。電報が参っておりますから、後部車掌室までおいで下さい」

波島は背を起こした。

大矢という姓は初耳だが、駒子は別れた女の名に違いなかった。

顔馴染みのサービス・ガールを呼び止めて、

「いまの電報は、さっき食堂で逢った、僕の知り合い宛らしいんだが、その人ならいま熱海で降りたよ。熱海の宿の名も聞いてあるし、僕が横浜駅から電報を打ち直してやってもいいんだが……」

と、波島はいった。

「どんな文面か知らないが、おそらく急用だと思うから、乗客専務と相談してみてくれ」

にこやかに応じて、サービス・ガールは去って行った。

退屈しのぎにしても、期待はふくらんでいた。どんな電文か、それで二人の関係もはっきりするに相違なかった。

男宛ではなく、駒子へ打って寄こした電報だということも、一つの興味をそそる。

間もなく、サービス・ガールが戻ってきた。

かしげた制帽も、はきはきした口の利き方も、汽車の中で働くのがたのしくてならないといった調子だった。

「あのう……個人の秘密、っていうような電文でもないから、ごらんになってもいいそうでございます」

「なるほどね、そういうこともあるんだね」

そういいながら、波島は電報をひろげた。

「カナリヤノタマゴ　二ツカエツタ」

と、いうのがその電文であった。

「……つまらんことで、君たちに手数をかける奴だね」

サービス・ガールにからかわれているような気もして、波島はうす笑いを浮かべてみせた。

恋愛雑用論

絲山秋子

絲山秋子（いとやま・あきこ）
一九六六年、東京都生まれ。早稲田大学政治経済学部卒。二〇〇三年、「イッツ・オンリー・トーク」で文學界新人賞を受賞し、デビュー。〇四年「袋小路の男」で川端康成文学賞、〇五年『海の仙人』で芸術選奨文部科学大臣新人賞、〇六年「沖で待つ」で芥川賞、一六年『薄情』で谷崎潤一郎賞受賞。『忘れられたワルツ』『夢も見ずに眠った。』『御社のチャラ男』他著作多数。

恋愛とはすなわち雑用である。不要でなく雑用である。

雑用は雑用を呼ぶ。仕事でも家のことでもなんでもそうだと思う。仕事は忙しい人に頼めと言うが本当に頼まれる。そういう時期に限ってオトコというものが現れる。人類の半数を占める性別としてのそれではなく、おつき合いしませんかとにこにこ寄って来る酔狂（すいきょう）な輩（やから）である。しかもあちらは断然ヒマそうにしている。そんなオトコにつき合うのは雑用でしかない。しかし決して不要ではないから関わってしまう。

結婚相手と違って恋人というものは別の場所に住んでいる他人同士なのだから報告連絡相談だけきちんとしてお互いに機嫌が良ければそれで良い。そもそもオトコの存在自体が雑用なのだから、雑用は雑用らしく雑用でもやっていれば宜（よろ）しい。その間に私は雑用を済ませる。

だが本心を口に出してしまったら最後、おつき合いはたちまち破綻（はたん）するだろう。「萎（な）える」とか言われるだろう。「年がら年中萎えているくせになにを言う」などと返したならばその関係は恋愛であることをやめてしまう。その後の一日を湿った布団のなかで過ごすのは困りものである。そこで無為にデートなぞすることになる。用もないのに隣町の街道沿いにあるショッピングモールに出かけて十五分で済む雑貨の購入のために半日も潰したりこんな簡単なもの家で作れるのにと思いながら高いメニューを食したりする。挙げ句の果てにえいやと詰め寄られればその気もないのに裏声でいやんと言ったりしなくてはならないのだ。

まさしく雑用そのものであるデートを済ませた翌日といえばそれを果たすために放置断念した他の雑用が山積していて二日酔いよりも酷い気分であれもこれも片付けなければならなくなるのである。

私は小さな工務店で事務員をしている。朝は八時に出勤して机を拭き棚を拭き事務機器を拭きテーブルを拭き社長の禿頭以外のあらゆるものを拭きフロアに掃除機をかけモップをかけ玄関から外回りを箒で掃きトイレの掃除をやって観葉植物に水をやって葉っぱの埃をとってやる。昼間は社長がよほど難しい見積もりでもしていない限り会社には私一人しかいない。毎日必要に応じて請求書を作ったり帳簿をつけたり頼まれた図面を焼いたり部品やカタログの荷受けをしたりする。これらのことが雑用なのか仕事なのか、そんなことは私がお姉さんなのかおばちゃんなのか、ということと同じくらいどうでもいいことである。考えなくて済むことである。

仕事のなかで圧倒的に多いのは電話取りと会社に来た人への応対である。会社に来る人というのは銀行や会計士や資材問屋たまにメーカーそして事務機器の会社といったところだが担当ご本人様だけでなく前の担当や前の前の担当までもが立ち寄ってくれる。単なる社長の友達というのもたまに来る。言いがかりは大キライな私も通りがかりなら歓迎する。各社の所長や支店長といったお偉方は社長がいなければおよそ用事があるとも思えないのだがかれらもお茶を飲みにやってくる。用事がなくてもかれらとて家を建てることはあるし家を建てる知り合いもいるのだからいつでも気持ちよく時間を潰してもらうように、と社長から言われている。

小利口くんもそのうちのひとりだ。小利口くんというのは私がひそかにつけたあだ名であり本人は夢にもそう呼ばれているとは知らない。本名は金子くんである。本来の業務なら月末だけ来たっていいものを三日に一度は会社に寄ってぺらぺらよく喋る。

「最近、なんかいいことありました?」

小利口くんはいつもそう言う。

「ありません」

と私は答える。

「日下部(くさかべ)さんの好きなタイプってどんなんですか」

と、聞くこともある。

「お金の話しないひと」

小利口くんの勤務先は地元の信用金庫である。

「金子くんはどうなの」

「僕なんかもう、若くても熟女でもスリムでもぽっちゃりでもなんでもウェルカムです」

何を言うか青二才が。その境地に達するには十年早いわ。

小利口くんはやたら恋愛の話をしたがるが長いつきあいのなかでごく僅かの例外を除けばそれは実体験を伴わぬむなしい話ばかりである。


任意の犬AとBが、それぞれの飼い主の都合のいい時間と場所に散歩に連れていかれます。AとBはすれ違うときに、お互いの尻を嗅ぎ合うことになります。AとBは仮に一生出会うことがなくても問題なく生きていけるでしょう。しかしすれ違ったら尻を嗅ぎ合います。そうせざるを得ないということなのです。

「恋愛なんてそんなもんでしょ」

と、私は言った。

「それなら別の話をしましょう」

小利口くんは、あんまり良くない癖だが任意の犬Bのようにぺろっと唇を舐めて身を乗り出してきた。

「仮にインターチェンジが10キロおきにあるとします。今、日下部さんが任意のインターから高速に乗り、時速150キロで走りはじめました」

「そりゃずいぶんだね」

「日下部さんと同じ時刻に五つ先のインターチェンジから覆面パトカーが高速に入り時速120キロで巡行しています。さて日下部さんは出発点からいくつ目のインター付近で捕まるでしょう」

「覆面ってスカイラインでしょ。8ナンバーだしすぐわかるよ」

「追いついたら必ず捕まるという設定です」

「それが恋愛の話？」

「もちろんです」

「捕まって怒られるのが運命だったら追いつく前に高速下りちゃうよ。私だったら」

「僕は設問を出しているんであって、そういうふうに話をはぐらかされても困るんです」

「つまんないなあ」

「よく言われます」

両親は広告に踊らされて遠方に別宅を買った。今でもまだ踊っている。別宅のつもりだったのにあちらが本宅になってしまい滅多なことでは帰って来ない。彼の地からやれ果物だやれ干物だやれはちみつだと段ボールに詰め込んで送ってくる。一人では到底太刀打ちできない量である。添えられた手紙には必ずこう書いてある。

「ほかのと全然味が違います。美味しいから食べてみてください。余ったらご近所へ」

親がどんなに踊っても私に踊る勢いはない。ご近所に配るだけで雑用がひとつ増える。

両親の出奔により私は実家にひとりで住んでいる。実家のあるR…町は県庁所在地からは車で一時間余、町の面積の大半を占めるのは自衛隊の演習場である。わたしたちは自衛隊のお陰でいろいろ得をしながら生きているらしいがずっと住んでいるとぴんと来ない。確かに停電というものは経験したことがないが、せいぜいその程度しかわからない。

町役場のそばに小さな温泉がある。露天風呂がないのが不評で観光客はほとんど来ない。町民は割引で入湯料金五十円なので午前中なら婆さんたちがひしめき合い夕方なら小児幼児を引き連れた母親たちのごった煮状態となる。よくニホンザルの群れが温泉に入っているのをテレビで見るけれどあれらはうわさ話をしないだけいいと思う、そんな眺めである。

　温泉そのものは決して嫌いではないけれど朋ちゃんなんてこないだまで子供だったのに随分大きくなったのねえと巨乳を品評されるのは迷惑である。あの年でまだ独身なんだってどこかやっぱり問題あるんじゃないのと陰で言われていることも十二分に承知している。


　姉は関西に嫁いで二人の子を産んだ。今ではいんちきな方言を操っている。

「あんた婚活せえへんの」

　電話が来れば大抵そんなことだ。

「しないと思う」

「今は四十代でもみんな婚活してはるよ。その年ならバツイチも狙えるやろ。そっちの方がええんちゃう」

「婚活なんて。これ以上雑用増やしたくない」

「あんた一生R…町でええのん？」

　姉の関西弁は素人の私が聞いててもでたらめなイントネーションで気持ちが悪い。

「私まで出ていったら一家離散になるでしょ」

「そやけどあんたかて幸せになる権利あるわけやから」

あんたかて、だって。

権利、だって。

この町を脱出しようと思ったら結婚が唯一の手段なのかもしれない。けれどいざ実家をたたむとなったら誰も協力しないだろうしそれがどんだけ面倒くさいか天秤（てんびん）にかけたら私は現状維持を選ぶ。


二十代の後半だっただろうか、あの頃はまだ親が家にいた。

社長は今でこそかなり穏やかになったけれど昔は職人気質（かたぎ）で筋が通らないとすぐ怒鳴ったし特にやりがいのある仕事でもなかったし日々お茶を飲みに来るひとびとはオッサンばかりで選挙だの介護だのスポ少だのといった慣れない話題についていくことをむなしく感じていた。

そして家族親戚はたまたご近所さんといった有象無象（うぞうむぞう）が結婚結婚結婚とほんとうにうるさかった。

そんなことは女として生まれたら当たり前のことでそのときあんたはひとの話を聞かなかったから悪いのだと姉は今でも言う、私なんか夜も眠れないほどいつ結婚できるかって悩んだのだと言う。

姉が悩んでいたとは知らなかった。きっと興味がなかったからだろう。しかし興味がないというのは悪いことなのだろうか。

　当時R…町の同級生にはスナックでバイトして自衛官とつきあったり婚約したりする子が何人もいた。そういう子はおしなべて彼氏の同僚の自衛官を紹介する紹介すると言うので私もマッチョは嫌いマッチョは嫌いと断り続けねばならなかった。

「じゃあどんなひとならいいの？」

「チビでガリ。アート系」

　夜中に酔っぱらってうろうろする姿は感心しないけれど決して自衛官が嫌いというわけでもないのである。ただ深い考えもなしに結婚の段取りになりそうだったし同級生に結婚式で大きな顔をされるのがイヤだったのだ。ほんとうは好きになったひとこそがタイプであってあらかじめ決めたことなんかない。面倒な現状を回避できそうな設定をその都度口に出すだけだ。

「アート系なんてここにいるわけないじゃん。なんで朋ちゃんR…町に残ってるわけ？」

「なりゆき、かなあ」

　三十歳を過ぎてからはイキオクレのレッテルでもってまだ少しだけ責められたが三十五を過ぎてからはヘンクツのレッテルに上書き保存されてすっかり楽になった。四十を過ぎたら何ひとつ更新されなくなった。肩の荷が下りてせいせいした。

　今では結婚せよなんて言うのは姉だけである。

私は結婚するために生きているわけではないが、結婚しないと決めているわけでもない。

なんのために生きているのか。

そんなことはさっぱりわからない。

少なくとも種の保存のためには生きていない。

私は毎日弁当を持参する。弁当なんて雑用の試供品パックみたいなものだと思うけれどそうかと言って私が蕎麦屋だのらーめん屋だのに行ってしまえばこの事務所で電話を取る者がいない。

新聞を読みながら弁当を食べていると、どこかで早飯を済ませた小利口くんが事務所に来て言う。

「お弁当今日はなんですか」

「見ないでよ」

私は新聞紙で弁当箱を隠す。

社長とのアポイントは一時半のはずなのに何故こんなに早く来て陣取っているのだ。

昼の時間にわざわざ来る連中は私がいやがると知っていて弁当を覗くのだ。破廉恥(はれんち)である。ハラスメントだと思う。

だがそんなひとにもお茶を出すのが私の仕事だ。

「お茶なんてあとでいいんです。食べててください」

小利口くんは言う。

「いいからそっちに座ってて」

「弁当いいなあ。今度僕にも作ってほしいなあ」

好きな男に弁当を作ることだって猥褻だと思うのに、好きでもない男に強制されるなんざ犯罪である。

「自分で作ればいいじゃない」

「そうそう最近聞いてなかったけど、日下部さんいいことありました？」

「ありましたよ」

「ほんとに⁉」

「ゴールデンウィークにモロッコ行ったじゃない。そこで知り合ったひとが」

私の唯一の趣味は海外旅行である。パック旅行で安く行けばひとり旅でもなんとかなる。

「モロッコ！」

小利口くんが叫んだ。

「モロッコがどうかしたの？」

「いやあ、きっとガードが下がりまくりだったんだろうなって」

「そんなことありません。最後の頃は結構仲良くなって二人で行動してたんだけど、そんな変な感じじゃなくて、話も合うし」

「日下部さん、誰とでも話、合うじゃないですか」

「それでどこに住んでるかって聞いたら隣の県だって言うじゃない。日本に帰ってまた会いましょうってことになってそれが先月だったの」

「どうなったんですか、その彼」

「チャラ男だった」

「うっわぁ」

田舎に於いてヤンキーよりもかっこわるいのがチャラ男である。ヤンキーは思春期のひとつの現象であってじきに「落ち着く」ものである。そのあとは比較的早く結婚して家族を養うためにしっかり働く。私の中学校の同級生なんかそんなのがいくらでもいる。だがチャラ男には「落ち着く」ということがない。

「なんでわかんなかったんですか？　その、モロッコで」

「だって異文化のなかにいてチャラいかどうかなんて見ないでしょふつう。服だってTシャツ短パンだったし下品じゃなかったから……」

「それでそれで？」

「D…市だって言うから、D…市まで行ったのよ。そしたら相手がなんていうのか『キメキメ』で来たんです」

「そりゃ日下部さんがわざわざ会いに来てくれたんだから大決心したんでしょ」

「でもその大決心がホストみたいなスーツ着ることと、変な鳥みたいな髪型することだったら」

「鳥！」

「そう、鳥」

小利口くんは椅子に座ったまま、身体を折り曲げて咳き込むように小刻みに笑っていた。

「それがさ、D…市に住んでるって言うからてっきり町の人かと思ったの。あっちは大都市じゃない。そんならわかるよまだしも。だけどあのチャラ男はD…市って言っても勤め先だけ市街地で住所はついこないだ平成の大合併でやっとこさ合併した村なのよ、村！」

「日下部さん今スイッチ入った！」

「スイッチって、なに」

「日下部さんが何かに対抗するスイッチって、小さいとこ同士でしか入らないんですよね。ここだって自衛隊なかったら村でしょ」

「村でさえない。消滅してたよ！」

残念なことに小利口くんは県庁所在地の出身であり国立大学まで出ている。だからそう言われればぐうの音も出ないしそれ以前に都市部に対抗心は燃えない。

「すみません話の腰折った、それでD…市の彼は」

「あの村、私だって知ってたよ。一時期あそこの神社のお守りがいいって口コミで有名になったの知ってる？　私なんか友達の妹のために合格祈願のお守りもらいに行ったんだもん。田んぼのなか延々走ってさ、そこから峠を越えて川沿いの村。そんなとこ」

「ここと一体何が違うんですか」

「だから言いたいのはね、バスなの。観光バスのお古で窓とかムラサキ色でシャンデリアとかついてるやつ？　中でカラオケとか寅さんのビデオやってそうなバスがふつうに走ってるのよ、あの村。それが路線バスなの。しかもこの時代に『**路線バス**』って半紙に毛筆で書いて前後に貼ってあるってどうなのよそれ」

「でもここだってハイエースがバスじゃないですか」

「そうじゃなくて。そんなムード歌謡みたいなバスにホストみたいな格好したチャラ男が乗ってるってこと！」

「え？　バス通勤なんですか？」

「クルマがないって」

「クルマがない？　なんで？　どうして？」

「使えない男だって思わない？」

「まあそうかもしれないけど、バス通勤にはなんか理由があるんじゃないですか？　壊れちゃったとかぶつけちゃったとかあと盗賊団に襲われたとかで一時的にバスなんじゃないんですか？」

「知らないけど、もう私理由聞く気もなくして帰ってきたの。D…市でクルマがないなんてパンツはいてないようなことだよ！　理由聞く必要ある？　パンツはいてない人はパンツはいてないってその事実だけで十分じゃない」

言うだけ言ってかなりすっきりした。

小利口くんはしばらく困ったような同情したような、どちらにしても薄っぺらい顔をして固まっていたが遂にこらえきれなくなったみたいで再び笑い出した。

「今、んもう、って言いましたね」

「言ってない」

「言いました」

資材問屋から配達の件で電話がかかってきて現場の棟梁（とうりょう）に用件を伝えなければならなくなったので与太話は一時中断する。

「打算の構造って話をしましょうか」

私が電話対応している間、頬杖をついて手帳をめくっていた小利口くんが言った。

「いいよ難しそうだから」

「いやさせて下さい。思い立ったら言わないと気が済まないんです」

「困った性格だね」

「えーとですね、日下部さんのまわりのすべてのものを『ためになる』『ためにならない』『得になる』『得にならない』の四つに分類してみてください」

「はあ？」

「ちなみにためになるとは個人のことで、得になるとは社会のことです。社会の得というのは経済的なものだけでなく、評価や認知も含みます」

「町内会とか」

「そう！　わかってるじゃないですか、町内会は公共の利益だからどっちかと言えば得だと思いませんか？」

「そうかもね」

「あとは？　どんな項目がありますか？」

「親はまあ、過去にはためになったよね。旅行は好きで行ってるけどやっぱりためになるの？」

「そうですそうです。そうやってすべてのものを分類するんです。それが終わったら縦軸に『ため』、横軸に『得』をとって分布図をつくってください。これが日下部さんの打算の構造です」

「何言ってるんだかちっともわからないよ」

「つまり価値観の分析ってことですよ。得にはならないけどためになるからつき合う人間関係とか、ためにはならないけど経済的に得だからやる仕事とか、そうやってあてはめていくんです」

「そんなこと分析しなくても生きられると思うけど」

「いいからいいから」

　裏紙を引っ張りだして小利口くんの言う通りにx軸とy軸をひいてみる。すると「ためにもならず得にもならない」という最低の座標は恋愛なのだった。

「ほらね！」

　小利口くんは喜んだ。

「なにこれ、わかっててこんなことやらせたの？　心理テストでもしたつもり？」

「なんで怒るんですか」

「怒っちゃいないけど、大人をからかうのはよしなよ」

「だからあ。日下部さんの恋愛は打算とは無縁ってことを証明したかったんですって。

だってこれ打算の構造って最初に言いましたよね」

「なんかもうめんどくさい」

「すみません」

「そんなんだから金子くんは小利口くんって言われちゃうんだよ」

「えっ⁉」

小利口くんは思いのほか強い反応を示した。

「ちょっと日下部さん、なんなんですかそれ？」

私は帰ってこない社長に電話しようかと思った。ほかのひとが来ればいいのにとも思った。髭の会計士さんとか少年サッカーの監督やってる問屋の課長とか。とにかく面倒くさい話をしない誰かが。

「誰が言ってるんですか？　日下部さんそんなふうに僕のこと見てるんですか」

「だってどこからどう見たってそうだよ」

小利口くんがまだ何か言おうとしたところにアポイントから遅れること二十五分、社長のクルマが帰ってきた音がして私はほっとする。

社長はタオルで汗を拭きながら「あーどもども」と小利口くんに声をかけた。

「社長おかえりなさい。金子さん、お茶入れ替えましょ」

私は満足して笑顔で立ち上がる。狼狽(ろうばい)したひとや転覆した話題を置き去りにするのは気分がいい。

一軒家というものは圧倒的にひとりで住むには向いていない。戸締まりも面倒だしそれ以上に庭の手入れが厄介だ。それに六年に一度は隣組の組長がまわってくる。地域の行事だの集金だのお知らせだのさまざまな当番だのが付帯する。こんな時代でも隣組と呼びこんな私でも組長と呼ばれる。イヤだと言ってもお互い様だし男の子たちの入っている消防団はそれはそれで大変だし猟友会はイノシシが出たときに頼もしい。なにもかも仕方がないと思うしかない。

父がよく雑草を抜きながら言っていた。

「誰が植えたわけでもないのによく生えるよなあ。大したもんだ」

しかしその父が植えた栗の木の開花にあたって思春期に同級生から心ないことを言われて以来私は栗の木が大嫌いだ。

都会から来たひとには「田舎暮らしは静かでいいでしょう」と言われるが、演習でぽんぽん音もすればヘリも飛ぶこの町の一体どこが静かなのか。秋の稲刈りシーズンには鳥よけの空砲が不規則に鳴る。ヤンキーは朝までバイクで走る、朝の四時になればヤンキーと畑の草刈り機の音が交代する。防災無線は反響して何を言ってるかわからないしそのたびに町中の犬が吠える。

私はそんな環境のなかで育ったから慣れているがこの環境が都会のひとが思っている「静かで優雅な田舎暮らし」とは全く別の世界だということも認識できる。

自衛隊しかない町だから年がら年中カーキ色の大型車両が走っている。なんでこんなとこ、と思うような細い道でもナンバーの横に「仮免許練習中」のプレートをぶらさげた幌つきトラックが隊列をなして走っている。仮免許と言われても恐れることはない。彼らは民間の車と事故を起こしたら大変なことになるのであろう、大変丁寧で紳士的な運転をする。

震災の後は「災害派遣」の札を提げた車両が帰ってくるのを見るたびに胸が熱くなった。運転しているのは年端もいかないような子ばかりだった。かれらは何週間被災地にいたのだろう。訓練を積んでいるといってもつらかっただろう、苦しかっただろう。近頃とみに涙腺が弱くなってきた私はぼろぼろ涙を流した。毎日災害派遣の車両が帰ってくるので毎日涙を流した。

小利口くんと言ってももう四十代である。うちを担当するのは二度目になる。新入社員の頃は先輩と一緒に来ていたがそのうちひとりで来るようになった。そのあと別の支店（といっても信金だから遠くはない）に転勤して担当替えしたが、戻ってきたのは二年くらい前だったか。ずっと青二才の印象だったが、このひと、いつの間にか「ございます」が板についてきたなと気がついて歳を聞いて驚いた。七〇年代生まれが四十歳なのだ。

私は愕然とした。

ガキも歳をとるということに。

「こういっちゃなんだけど、おまえさんと金子は似合ってるよ。いいと思うよオレは」

ある日突然社長が言った。

「何言うんですか。社長がよくてもその他全員よくないですよ」

「そうか？　俺は日下部のことも金子のこともよくわかってるつもりだけどな」

「私イヤです。だって金子さんって卵から生まれてきたみたいですもん。それに自分が卵産みそうだし」

社長が噴き出した。それから少し真面目な顔で言った。

「あいつは、案外へこたれん男だよ」

へこたれんだかなんだか知らないが、小利口くんはキャベツとレタスの区別もつかない男なのだ。

前に社長と三人でとんかつ屋に行ったとき、

「このつけ合わせのレタスおいしいですね」

と言われて社長の箸が止まった。

「キャベツ、のこと？」

社長も驚いていたが私だって驚いた。

「ああキャベツでしたっけ、すみません。僕わからないんですよそういう細かい違いとかって」

「細かくはないだろうが」

長年生きてきてそんなひとは初めて見た。

「イモムシ以下」

と、私は言った。


暑い夏が過ぎた頃ボランティアをしないかと言われた。被災地に送る冬物衣料の仕分けをするという。私は土曜日に県立体育館に出かけた。大人と子供、男女別、サイズ別、汚くて送れないものの廃棄、そんなことを一日続けて埃だらけになった。

そこで久しぶりに同級生の梅田春彦くんのお母さんと会った。春彦くんはちょうど休暇で地元に帰って来ていると言う。高校のときのクラスが同じで、りりしいな、と思ったこともある。かれは東京の大学に進学を果たし今はなんとデンマークに赴任しているという。

「デンマークって何語なんですか」

「どうかしら。なんだかカタコトの英語でやってるみたいなんだけど」

「英語で仕事ができるなんてすごいですよ」

「それがね恥ずかしい話バツイチなのよ」

「もしかして外人さんと」

「そうなの。やっぱり文化が違ったのかしらね」

「私みたいな行き遅れと比べたらバツイチの方がずっといいですよ」

「家に帰ってきても退屈だ退屈だってごろごろしてるばっかりだから、もしよかったらお茶でも飲みに来て」

「春彦さん、いつ帰っちゃうんですか？」

すんなり「春彦さん」と言えた自分がちょっと嬉しかった。

「来週まではいるんだけど。うちはいつでもいいのよ。今日でも明日でも」

喜んで！

それに梅田さんのところに親から大量投下されたはちみつだの果物だのをお裾分けで

きる！

翌日は念入りに化粧をしていつもより小綺麗な格好をして梅田家を訪問した。

春彦くんは変わっていなかった。あのころイケメンなんて言葉はなかったのだという ことに私は気がついた。今だから「イケメンだ」と思えるのだ。大人になっても話し方 が静かで好感がもてた。昔のように「朋ちゃん」と呼んでくれた。

海でも行こうかってことになって私がクルマを出した。途中から雨が降ってきた。そ れも随分激しい雨だった。海岸線を走っているのか洗車機に入っているのかわからなく なった。地元ではちょっといい感じだと噂のカフェに客は誰もいなかった。それどころ か三時で閉めるとか言われてなんだか盛り上がらなくなって水しぶきの向こうの鉛色の 海を見ていた。

「デンマークってどんなとこなの」と聞くと、

「肉がうまい」

と言った。

「それだけ？」

「景色もいいよ」

「春彦くん、あっちでつき合ってるひといるの？」

「いやいない。寂しくしてるよ」

寂しそうなイケメンに私はめっぽう弱い。

昔からそうだったわけではなくて今そう決めた。

肉と景色だったらR…町だってさほど悪くはないのだがそれでもこの唐突な再会にのっかるといういささか軽率な思いつきが自分らしくて気に入った。

いきなり私がデンマークで一家離散。

ステキではないか。

休暇なんだけど何も予定ないから明後日あたりご飯でも食べに行こうか、と言われた。ヘッドバンギングみたいな勢いで頷きそうになったがなんとか落ちついて、明日会社行って何時頃上がれるか確認するからアドレス教えて、とスマートにおさめた。

雨はやまなかった。

それでも久しぶりに会った優しい男が助手席でくつろいでいるというのは悪い気持ちではなかった。楽しく喋りながら信号待ちでふと見たら両の掌を上向きにしていた。

なんだかイヤな気もしたがかまわず走っていたら彼はそのうち気持ち良さそうに寝入ってしまった。睫毛が長いんだな、と思った。こんな寝顔なら明け方にそっと見守っていてもいいかもしれない、と思った。

だがやはり膝の上で両手が上を向いていた。

信号待ちで右手の親指と人差し指を引っ張って輪っかを作ってやった。春彦くんは薄目を開けただけだった。左手の指も引っ張って同じようにしてやった。抵抗しなかった。大仏のように印を結んだまま眠ってしまった姿を見るとさっきまでの夜明けに云々という気持ちはあっさり消え失せて何とも言えず薄気味悪くなった。

バカだと思われるかもしれないがたったそれだけで醒めてしまった。おそらくデンマーク人の奥さんもかれのホトケっぷりがいやになったのだろうと勝手に解釈した。

今度小利口くんに「なんかいいことありました？」と聞かれたら話してやろうと思った。

あのとき。

事務所はそんなに揺れなかった。

距離が遠かったのだ。髭の会計士さんや小利口くんが駆けつけてあっちに親戚や友達はいないかと心配してくれて社長が慌てて帰ってきてやっとことの重大さに気がついたのだった。

恐ろしくて悲しくてそれからしばらくの間、ラジオをつけたままでいないと眠れなかった。雨戸が閉められなくなった。自衛隊があるから停電なんかないのに電池を買った。クルマを持っていないチャラ男の県ではガソリンが不足していたがここはそれほどひどくはなかった。それでも満タンを心がけるようになった。

よそではもっと見えない危険や心配やストレスが強いのだった。東京に行った友達が電話で一方的に喋った後あんたはのんきでいいよねと吐き捨てた。一方で両親や姉は私よりもっとのんきに見えた。実家とこっちと両方被害を受けることはないから何かあっても大丈夫な方に行けばいいと笑うのだった。

私は友達に違和感を覚えた。家族にも違和感を覚えた。テレビにも政治家にも違和感を覚えた。でもそのうち強い気持ちは薄まってできることだけをすればいいと思うようになった。それが正しくないことも勉強不足なこともわかっている。でもどこに、ひとがふつうに生きていくことについて正しく話せるひとがいるというのか。


秋になるとまた雑用が増える。勝手に落ちたイガグリが庭を埋め尽くすのだ。邪魔で仕方がない。朽ち果てるに任せたいのだがやはり食べ物であるから後ろめたいしかさばるしご近所の目も気になる。あちこちに配って歩くには限界があるが真面目に取り組もうとすれば栗というのは下ごしらえが実に面倒なのだ。虫を追い出すために水につけておいて乾かす。その上で茹(ゆ)でて冷まして鬼皮渋皮を剝いてさらにアク抜きをする。もっと簡単な方法があるのかもしれないが母がしていた通りにしかできない。

さんざん苦労して結局どうするかと言っても茹で栗か甘露煮か栗ごはんしか作れない。

ひとり者が毎日栗ごはんなんて飽きるに決まっているのだ。とうとう決心して、

「栗の木、切ります」

と母に電話して言ったら、

「それだけはやめて」

と言われた。

「わかったよ」

私は何事もすぐに諦める。さっさと手を引く。結局のところどっちでもよかったんだと思う習慣がついている。

「それとお願いだからイガは拾ってあげて」

親ではなく栗の木に雑用を頼まれているようでなんだか気が抜けた。

Geronimo-E, KIA

阿部和重

阿部和重（あべ・かずしげ）
一九六八年、山形県生まれ。九四年、「アメリカの夜」で群像新人文学賞を受賞しデビュー。九九年『無情の世界』で野間文芸新人賞、二〇〇四年『シンセミア』で伊藤整文学賞・毎日出版文化賞、〇五年『グランド・フィナーレ』で芥川賞、一〇年『ピストルズ』で谷崎潤一郎賞受賞。著作に『ブラック・チェンバー・ミュージック』、伊坂幸太郎合作『キャプテンサンダーボルト』他多数。

Sunday May 1,2011 11:55pm

中東・南アジア地域、アフガニスタン東部ジャララバード、アメリカ空軍の中継基地。

微かな月明かりしかない、闇夜の空。

強襲用二機と輸送用三機、計五機のヘリコプターが相次いで飛び立つ。

その二五分ほど前、バグラムのアメリカ空軍基地から出発した特務部隊。同基地は、アフガニスタンの首都カブールより北東六〇キロメートルに位置する。

バグラム空軍基地からおよそ一二二キロメートルの距離にある、ジャララバードの中継基地。部隊がいったんここに立ち寄ったのは、隊員がヘリの乗り換えをおこなうため。

輸送用ヘリの機種はMH-47Gチヌーク。一九六二年運用開始のタンデムローター式大型輸送用ヘリコプター、CH-47チヌークの改良型。

強襲用の二機はMH-60Kブラックホーク（改）。一九七九年運用開始の汎用ヘリコプター、UH-60ブラックホークの改良型たるMH-60K――これに対し、今回の作戦においてはさらなる特殊改造が施されている。探知電波をそらすか吸収することにより、レーダーやセンサーからの捕捉を阻む電波ステルス技術——そうした装備をはじめとして、排気ガスの速やかな冷却による飛行音の抑制等々、高いステルス性能を備えていることから、本機はサイレントホークの異名を持っている。

　いずれの機種も、アメリカ陸軍第一六〇特殊作戦航空連隊、通称ナイトストーカーズがこの作戦のために提供した。作戦の実行中は、同隊隊員が各機の操縦を担当する。

　五機の軍用ヘリコプターには、総勢七九名の作戦要員と一匹の軍用犬（K9）が搭乗している。うち二三名は、作戦の実行部隊となるタスクフォース。活動内容の秘匿はおろか、その存在すら公には認められていない特殊任務部隊に全員が属する。

　アメリカ海軍特殊戦開発グループ（The United States Naval Special Warfare Development Group）、略称DEVGRU（デヴグルー）の隊員を主体として、アメリカ陸軍第一特殊部隊デルタ作戦分遣隊（1st SFOD-D）、通称デルタフォースからも数名が参加。デヴグルーもデルタフォースも、ともにアメリカ統合特殊作戦軍の隷下にあるエリート特殊部隊。

　これに一名の通訳が加わり、二四名が半数ずつにわかれて二機のサイレントホークに分乗した。

　軍用犬の犬種はベルジアン・シェパード・ドッグ・マリノア。呼び名はカイロという。空挺降下用ハーネス、暗視ビデオカメラ・システム、双方向通信装置、防弾防水等々の多機能を備えた犬用ボディーアーマー、Ｋ９ストーム社製イントルーダーを装着している。

三機の改良型チヌークには、統括部隊と予備戦力のほか、通信係や後方支援部隊、さらにはＣＩＡ特殊活動部隊の狙撃手と分析官が乗りこんでいる。

予備戦力として投入されたのは、アメリカ海軍特殊部隊Navy SEALs（ネイビーシールズ）の隊員二四名――デヴグルーは、もともとはネイビーシールズの対テロユニット・チーム６として発足され、のちに独立した。そしてアメリカ陸軍第七五レンジャー連隊が、後方支援の任務に就いた。

日付が変わり、三〇分ほどが経つと、特務部隊の乗った各機は国境を越えてパキスタン領内に入る。同国内の防空レーダー網にキャッチされぬよう、ここからはいっそう慎重な操縦がもとめられる。

目的地に到着するより前に、特務部隊の侵入がパキスタン軍に探知されてはならない。滞りなくこのハイリスクな任務を果たすには、当事国政府の気づかぬうちに完遂することが望ましい。

最初からパキスタン政府に無断で進める作戦ゆえ、レーダーに捕捉されれば迎撃ジェット戦闘機が緊急発進し、治安部隊も出動してしまうにちがいない。それに応戦せざるを得ないような事態にでも発展すれば、この作戦は中止になる公算が高い。

そんな最悪の展開を避けるべく、レーダーの回避策が事前に入念に練られていた。ジャラランバードの基地から目的地までの約二五三キロメートル。この間の地理状況がまず徹底的に調べあげられていた。レーダーやパキスタン空軍基地の位置、戦闘機のスクランブルから侵入機迎撃へと至るに要する時間などが考慮に入れられる。その結果、最もレーダーに探知されにくい最短の最適ルートが導き出された。

各機のパイロットたちは、暗視装置を駆使しながら搭乗機を操縦した。自然地形や木々に紛れるようにして、絶えず低空飛行で当の最適ルートを移動する。

ナイトストーカーズの隊員は、その名の通り夜間飛行に長けている。暗視ゴーグルや赤外線前方監視装置をもちいた高度な操縦技能を、同隊隊員は習得している。それゆえたとえ闇夜であっても、地上すれすれの離れ業的な飛行が可能となる。

パキスタン北部上空を飛行中の軍用ヘリコプター五機は、依然東へ向かって移動をつづけている。目的地のアボタバードは近い。

リーク阻止のため、これまで秘密にされてきた本作戦の標的が、実行部隊の面々に対していよいよ明らかにされる。

ターゲットが発表されると、サイレントホークのキャビンでは歓声があがった。

これ以上ない大物の名前。

あまたの反米テロの首謀者とされ、ＦＢＩが一〇大最重要指名手配犯のひとりと定める、国際過激派組織の指導者。同容疑者の拘束につながる情報の提供者には、五〇〇〇万ドルもの巨額の懸賞金が支払われるとされている。

長年の捜索が結実し、あらゆる手段をもちいてその居場所を突き止めたアメリカは今夜、当のテロリストへの奇襲作戦に打って出る――大統領は当初、前夜の決行を指示していたのだが、悪天候だったため翌日に延期されていたのだ。

実行部隊のだれもが目を輝かせ、絶対にこの機会に仕留めてやると意気込んでいる。大量のアドレナリンが分泌されはじめ、集中力が一段と高まってゆく、デヴグルーやデルタフォース所属の各隊員。

作戦の確認をおこなう声にも力が入る。興奮のあまり、挙動が上擦りがちになっている者も散見される。襲撃実行の際、功を急ぎすぎてヘマをやらかさぬよう注意しなければならない。

もちろんそれらの反応自体は、プログラムに沿ったイベントのひとつだ。虚実の完全な混同に陥っている者はまだひとりもいない。その意味では皆冷静を保っている。

だが、彼らが示す士気昂揚は必ずしも、すべてが装われたものとは言いがたい。

実行部隊――チーム・アルファーを演ずる一二人の表情には、出発時からすでに相当な興奮の色がうかがえた。別機のチーム・ブラボーの一二人も同様だろうと思われた。二ヵ月間の訓練プログラムの成果を発揮するときが、ついにきたのだ。

当然、パーフェクトを狙うべきだが、それは過去どのチームも達成してはいない。だから差し当たっては、そこそこの成績をおさめた去年のチームよりも、少しでもうまくやり遂げることを目指す。そういう現実的な目標設定を立てる。

去年とくらべて、実力差はないとわかっている。むしろ自分たちのほうが優秀なはずだと、今年出番の一二人全員が自負している。

しかし言うまでもなく、だれもが常に実力を出しきれるとはかぎらない。

一回きりの本番に臨むという状況。これが緊張感を増幅させるのだと、若い彼らは立ち所に理解する。

加えて途絶への不安。ここ数年つづく、成績の安定とチームランクの維持が次第にプレッシャーとなり、訓練とのちがいをあらためて意識させる。

そうした心の動きは、プログラムに沿った反応ではなく、各自のなかで、おのずと、ダイレクトに起こったものだ。

プログラムとのズレが、どの程度に広がれば、明確な失点につながるのかは定かではない。それは通告されていないのだ。各チームの分析にもばらつきがある。

ただ、塵も積もればやがては作戦失敗と同等に見なされることもあり得る。そうした先例は多々ある。作戦失敗ともなれば、チームランクはがた落ちになる。

そのため可能なかぎり、逸脱行為を避けることが望まれる。仮にはずれた行動をとってしまっても、それをくりかえさず、軌道修正を怠らない。記録にある通りの物事を、正確に、なぞってゆく。そうすれば確実に任務は果たせるのだ。

記録によれば、実行部隊に選ばれた特殊部隊員の年齢は二五から三五歳。

かたや彼らは一四歳。この年齢差からも、不可避的に生ずるであろうちぐはぐな言動の穴も、プレーヤーは適宜埋めてゆかなければならない。

主として想像力と適応力が試される課題。

どのみちやはり自己を消し、任された役になりきるのが、攻略の秘訣であることに変わりはない。この種のゲームでは決して目立とうなどとしてはならない。たとえひとりでもスタンドプレーに走れば、イレギュラーなイベントが次々に発生してしまい、クリアからは遠ざかるいっぽうとなる。

午前零時四〇分をすぎた頃、サイレントホークとチヌークは目的の地点目前のところで別行動をとることになる。これは予定通りのなりゆきだ。

作戦ルート途中の砂地に着陸した、三機のチヌーク・ヘリコプター。実行部隊の任務中、統括部隊や予備戦力や後方支援部隊などの面々はその砂漠地帯で待機する。チヌークとわかれ、なおも東へと急ぐサイレントホークのキャビンでは、作戦の確認を済ませた一二人の隊員たちが、目的地へと到着するのを静かに待ちかまえている。

首都イスラマバードから五五キロほど北に位置する都市、アボタバード。同地の富裕層居住地区に構える豪邸に、ターゲットは潜伏している。

それを突き止めたのはCIAだった。テロ組織の連絡要員を務めるひとりのパキスタン人男性を、一ヵ月間にわたり執拗に尾行した末、CIAは二〇一〇年八月にその隠れ家を嗅ぎつける。

三メートル五〇センチもの高塀に四方をかこまれ、建物正面側の一部は五メートル五〇センチに達する防護壁に守られた、要塞のような三階建ての大邸宅。敷地の広さはおよそ三〇〇〇平方メートル。その中央あたりに母屋と離れの建物が建っていて、近所にはパキスタンの陸軍士官学校がある。

NSAやNGAといった他の諜報・情報機関の協力も得ながら、そこに住まう人間の正体をCIAは何ヵ月間も探りつづける。

同邸の偵察には、画像偵察衛星や情報偵察衛星、さらにはカンダハルの野獣と綽名される、ステルス無人航空機RQ-170センチネルなどの最新鋭の軍事機器が投入された。より詳細で確度の高い情報を収集するために、CIAは近隣に家まで購入し、望遠カメラによる監視やレーザー盗聴器での会話傍受をおこない、分析を重ねてゆく。

そして二〇一一年二月、ターゲットがそこに潜居していることを臭わす証拠をCIAはつかみとる。

早速に統合特殊作戦軍との共同作戦立案に入ったCIAは、翌三月に三つのプランを大統領に提案する。

二〇一一年四月二八日木曜日、大統領は国家安全保障会議を招集し、作戦の可否について話し合い、翌朝に決行を決断する。

それがこの、夜間奇襲作戦（Operation Neptune Spear）であり、今夜もまた、当の任務は彼らによって遂行される。

●

午前零時五八分、実行部隊は目的地に到着する。

奇襲作戦はここで思わぬ危機を迎える。

サイレントホークの一機が、邸宅の敷地内に不時着して機体が破損してしまったのだ。

隠密裏の作戦行動が早くも破綻する。

当初の計画では、二機のサイレントホークはそれぞれ異なる方法で実行部隊を邸内に送りこむ手はずになっていた。

手はじめに、敷地の上空で一機目がホバリングをおこない、西側の中庭にチーム・アルファーの一二名が懸垂降下する。

次に二機目が、三階建ての母屋の屋上にチーム・ブラボーの一部を送りだす。

その後、二機目は敷地外の近場に着陸し、残りの隊員と通訳と軍用犬カイロを降ろす。二機とも陸軍士官学校に飛来したヘリだと地元民に勘違いさせる狙いもあり、実行部隊を地上に降ろす所要時間の目標は二分以内と設定。それが済み次第、サイレントホークはただちに現場から飛び去る。

そしてふたつのチームが同時に邸内へと突入し、上の階と下の階から挟みこむ形でターゲットを急襲する算段になっていたのだ。

そうした計画が、初段から頓挫を来たしてしまったことの一因は、気象の読みちがいだった。当夜は予想以上の高温だったのだ。これにより空気密度が低下する。

加えて邸宅をとりかこむ、四、五メートルもの高さの塀が障害になる。

それらが起因して、揚力を保つのに充分な気流が得られず、チーム・アルファーの乗ったサイレントホークは操縦困難な状態に陥り、不時着を余儀なくされる。

墜落に近い不時着だったため、同機は無傷では済まなかった。テールローターの部分が塀に激突し、へし折れてしまったのだ。

ただし乗員の無事は辛うじて確保できた。パイロットは、わざと機首を地面にめりこませることにより、機体の横転だけは回避する。とっさの機転が功を奏した。通常時とはちがい、機内から這い出なければならなかったが、チーム・アルファーの面々はほどなく中庭へ降り立つことができた。

一連の過程を注視していた別機のパイロットは、その轍を踏まぬようにと、母屋上でのホバリングをやめて搭乗機を急いで敷地外へ出す。着陸したのは近隣の畑。チーム・ブラボーは、予定を変えて全員が、塀の外側でヘリから降りることを選択したのだ。

かくして奇襲は出鼻をくじかれたが、作戦自体がとりやめになったわけではない。誤算はあったが幸いにして、隊員は皆ピンピンしている。

あらゆる事態を想定し、二ヵ月間訓練と作戦リハーサルを重ねてきた実行部隊の二チーム。作戦リハーサルは、邸宅の実物大模型を使って数えきれぬほどくりかえしてきた。チーム・ブラボーは、いきなり四、五メートルもある高さの塀に行く手を遮られてしまったが、彼らにとってそれは、必ずしも不測の窮地には当たらない。

すでに不時着機が、けたたましい音を立てて襲撃を住人に伝えてしまっているため、もはやこそこそと動く必要はなかった。C-4プラスチック爆弾を仕掛けて高塀の一部を吹き飛ばし、通路を確保したチーム・ブラボーは、すぐさま敷地内へと入りこむ。

ふたつのチームは間もなく中庭で合流する。いよいよターゲットの潜伏先たる邸宅に足を踏み入れる段階に差しかかる。

所定の作戦に則り、五名の隊員が戸外にとどまり、一九名とカイロが母屋と離れの捜索にまわる。

カイロは、地下壕などに潜む人間や爆発物を探しだすことのほかに、パキスタン治安部隊の接近を告げ知らせる役目を負ってもいる。

仮にこの邸宅が、治安部隊に包囲された際は、実行部隊は武力衝突を避ける。即時撤収に向けた政府間交渉がまとまるまで、黙って邸内に籠城することになっているのだ。

午前一時一五分、実行部隊は邸宅への突入を開始する。

●

記録上では、突入開始からターゲット殺害に至るまでに実行部隊が要した時間は、一五分とされている。

午前一時一五分から三〇分までの、一五分間――これはそのままG段階プログラムの規定時間になっている。

一五分間の規定時間をすぎるか、それに達しなかった場合は、プラスマイナス一〇秒ごとに減点が累積してゆくルールはかねてより周知されている。

過去、一五分ぴったりにG段階へ到達したチームは存在しない。未だパーフェクトが達成されていない理由のひとつがそれだ。

規定時間をすぎるよりも、短時間でG段階プログラムを終わらせてしまうチームのほうがやや多数を占めている。これまではそういう傾向にある。

その原因としては、主にふたつのことが考えられる。

第一に、このゲームにたずさわる者全員が、事前に記録に目を通している。とりわけ実行部隊を演ずるチームの面々は、現場で起こるすべての事柄が完璧に頭に入っている。それればかりでなく、二ヵ月間の訓練プログラムにより、演ずる役の身体にも、作戦の全容があますところなく記憶（インプット）されている。だからこそ、プレーヤーは逸脱行為を避け、記録内容を正確になぞってゆくことができる。

つまり先が見えすぎていて、やるべきことがわかりきっている。それゆえほとんど思考を介在させずに、行動をなめらかに進められる。いかなるイベントにも、役の体が勝手に反応しているに等しい。敵襲の脅威は最初の一度きりしかないことも承知済みのため、任務中の足どりもおのずと軽くなる。

これが一因となり、どのチームも往々にして、過度にスピーディーな任務の進行となってしまう。そのことに、途中でだれかが気づいても対処はむずかしい。時計を見ながら時間調整の足踏みなどをおこなえば、記録にない振る舞いとして減点の対象になるからだ。

むろん現実に訓練を積めば、一五分間ぴったりでかたづけるリズムを体におぼえこませることも不可能ではないだろう。

だが、このプログラム上にある奇襲作戦の訓練は、迅速かつ確実な任務の遂行を目指すものであり、それ以外のオプションはない。

よって一五分間という規定時間に作戦の経過をあわせるには、記録内容を正確になぞってゆくしかない。

一五分という時間の長さの感覚を、チームの全員が身につけておければなおいいが、一四歳の中学生にとってそれは至難の業にちがいない。一分やそこらの話ではないのだ。プロボクサーは体で三分間をおぼえこむというが、その五倍となると相当な鍛練を要するだろう。おまけにプレーヤーたちは、自身の生身の身体がダイレクトに任務行動に当たるわけではない。彼らはあくまでも、プログラム上の体験を通して一五分間を記憶するしかない。したがって、そうした下準備は余計に困難なものとなる。

だとすればやはり、選択肢はひとつにしぼられる。

自己を消し、任された役になりきることに徹してG段階に到達する。そうすることでしか、規定時間と所要時間の一致はなし得ない。機械のような複写こそが最善の策となる。

規定時間未満で、G段階プログラムを完了させるチームが比較的多い傾向にあることの、ふたつ目の原因。それは端的に、プレーヤーの若さにあると考えられる。

一四歳という若さゆえ、皆総じて呑み込みが早いが、その分自制が利かない。

一五分間という規定時間があると頭では理解していても、出発時に生じた興奮を制御しきれないまま突入任務に着手してしまう。そんなプレーヤーが、毎回いくつかのチームに何名か見受けられる。

おかげでせっかちになり、ターゲット殺害を早めてしまってパーフェクトを逃すことになる。そのようなケースは、これまでに幾度となくあった。

当然ながらこうした傾向と原因分析は、参加者のあいだではとうに常識となっている。にもかかわらず、依然として傾向に変化はない。未だどのチームも、規定時間クリアの有効策を打ちあぐねているという現状なのだ。

●

屋内の捜索にまわる一九名の突入要員は二手にわかれた。

九名が離れ家に向かい、通訳を含む一〇名が母屋を探る。

離れ家への突入直後に起こる戦闘イベントは、このゲームにおける、言わばひとつ目の篩（ふるい）になっている。毎年全体の四分の一近いチームが、ここから失点の山を築いてゆき、下位へと脱落してしまう。

記録上では、離れ家の戦闘は任務中唯一の敵襲だが、それゆえにか、この一回で調子を狂わされるチームが案外と多い。

任務遂行中初の発砲が、敵側からのものであるせいか、プログラム上の正規な銃撃にすぎぬとわかってはいても、うろたえる者はうろたえてしまう。

たとえばそこでうろたえた挙げ句、記録にない振る舞いを重ねてしまったら、プログラム上それは自動的にイレギュラー・イベントの発生要因となる。

このゲームでも、大小さまざまなイレギュラー・イベントが用意されている。

作戦の進行中、用意されているうちのどのイベントが生ずるのかは、プレーヤーの逸脱行為の多寡や種類に応じて決定される。

基本的に、参加各チームは、諸々のイレギュラー・イベントに適宜対処しつつ、その都度軌道修正をおこなってゆく。そしてでき得るかぎり、記録にある通りの作戦経過に立ち戻ることがもとめられる。

それがこのゲームでの、イレギュラー・イベントを発生させてしまった場合の攻略パターンなのだが、逸脱行為をゼロに抑えられないチームは決して少なくない。

イレギュラー・イベントは、すべてが記録にはない架空の物事で構成されている。あり得たかもしれない可能性としての分岐展開——それがプレーヤーの逸脱行為をきっかけとして、随時スタートする。

そのためどのチームも、未知なるシチュエーションへの対処と軌道修正にひときわ苦労する。訓練プログラムの際に、種々のトラブルを想定したシミュレーションを皆経験してはいるが、なにが起こるか定かでないという本番での状況は、やはり相応の緊張を強いてくる。先が見えすぎていて、やるべきことがわかりきっているなかでの不測の事態(イレギュラー・イベント)だからこそ、直面した者の動揺も大きい。

チームに動揺が広がれば、イレギュラー・イベントへの対処が新たな逸脱行為となり、さらなるイレギュラー・イベントの発生へと発展しかねない。それが度を超せば、部隊の全滅という結果(バッドエンド)もあり得ないことではない。

そのためいかなる局面においても、最低限の行動での対処が望まれる。そうすれば、おのずとイレギュラー・イベントの発生要因が減る。イレギュラー・イベントの低減は、必然的に好成績を生むことにつながる。

こうした攻略法も、参加者のあいだではとうに常識となっているのだが、それをどんな具体策を講じて実現してゆくかで、チームごとの成績に差が出てくる。

とりわけ重視されるのが、プレーヤー選出における適性確認だ。

まず言うまでもなく、集団行動に向いていることがプレーヤーの必須条件となる。よって個人行動に走りがちで適応性にとぼしい者はただちに弾かれる。移り気で忍耐力がなく、無駄な動きの多い者も然り。

高い想像力と適応力と自制心と集中力の持ち主が、理想のプレーヤーとされているが、それらをバランスよく兼ね備えた逸材は常に稀にしかいない。毎年ひとりでもクラブに入ってくれていれば御の字といった、貴重な人材だ。

なにかが欠如していて、どこかが余分——そんな部員こそがいつも大半を占めている。したがって、各校の監督にとって毎回のチーム編制は、おのれの腕の見せ所であると同時に最大の悩みの種にもなるわけだ。

その意味では、彼らが属する今年のチームには、当人たち自身が自負している通り、そこそこの成績をおさめた去年のチームよりも優秀かもしれないと思わせる雰囲気がある。


差し当たっては、離れ家での戦闘イベントまでの進捗状況はノーミスであり、パーフェクトを視野に入れても差し支えないくらいに、訓練中も彼らには隙がなかった。

去年のチームは、離れ家での戦闘イベントでひとつのしくじりを犯している。

記録上、離れ家の一室にいたのは、一組のパキスタン人夫妻だったとされている——その夫のほうは、ＣＩＡがターゲットの潜伏先を突き止める手がかりとなった、テロ組織の連絡要員たるあの人物だ。

住人側からの、AK-47による発砲が合図となってはじまる、離れ家での戦闘イベント。それは銃撃を受けた突入要員たちが、即刻反撃に転じ、室内にいた攻撃者たる男性とその妻を射殺することにより終了する。

順番としては、先に男性が撃ち殺され、その直後に女性が銃弾を浴びて絶命するのだが――去年のチームはそれを逆に進めてしまったのだ。おかげで住人男性はすぐには無力化せず、なおも物陰に隠れながらAK-47での攻撃をつづけたため、担当したプレーヤーらはそこで足止めを食ってしばらく撃ちあわなければならなかった。

この一回のしくじりにより、去年のチームは目標のトップ5入りを果たせなかった。ただし逆に見れば、過失をひとつにとどめたからこそ、去年のチームはそこそこの成績をあげることができ、チームランクをさげられずに済んだのだとも言える。

かたや今年のチームには、離れ家での戦闘イベントのなかで応戦役に割り振られたプレーヤーはいない。

よってそこはまだ、彼らにとっては負担の軽いフェーズではあった――ゆえに一二人全員が、誤りのない最低限の行動でもって次なる場面へと移行するのは、この場合ほとんど当然の義務であると考えられた。ここまでの段階で、去年のチームとのあいだに明白な成績差が生じたからといって、喜ぶのは気が早すぎる話だった。

こうした任務活動の推移を、各チームの監督たちはリアルタイム映像で追うことができる。ホワイトハウスと称されるフォーラム会場の地下にある、シチュエーション・ルームと呼ばれる会議室。全監督がそこに集合し、室内に設置された数台の大型テレビモニターを介して、さまざまな角度からとらえられた複数視点の映像を見守ることになる。

今年のチームが、去年よりも好成績を残しそうな気配――そんなものが、たとえ中途で見受けられだしたとしても、監督たちはそろってポーカーフェースを崩さない。

他チームの失態失策を目の当たりにしても、もちろんひと言も漏らしはしない。

任務の完遂を知らせる報告が入るまで、どの監督も一喜一憂を表に出すことはない。

黙って椅子に座ったまま、モニターの画面を凝視しつづけるしかない。

それが、このゲーム内にチームを送りこんでいる最中の監督に課された、ほぼ唯一の役割なのだ。

●

母屋への突入は、警戒を強めた住人によって固く閉ざされた出入り口の突破から開始される。突入グループは、エントリーツールのバッティングラムをもちいて一気にドアを破壊する。

その頃には、離れ家での戦闘イベントが滞りなく成し遂げられたことが、通信用骨伝導ヘッドセットを通じて隊員全員に伝わっている。それと並行して、プログラムは新たなイベントへと移ってゆく。

厳重に閉鎖されていた母屋出入り口のドアを速やかに突き破ると、軍用犬が先頭を切って屋敷のなかへ飛びこんでゆく。

それを機に、本ゲームにおける第二の戦闘イベントが始動する。

出入り口を通過して奥へ向かいかけると、ひとりの男が通路に立ちはだかっている。記録上、そこにいたのは離れ家の一室で射殺されたパキスタン人男性の兄弟だったとされている。同人も、テロ組織の連絡要員を務めていたと言われている。

片手を背後にまわし、武器の所持を臭わせながら立ちはだかる男を、特務部隊は間髪いれずに撃ち殺す――このとき男は、武器を隠し持っているふりをしていただけにすぎず、実際は丸腰だったというのが記録にある事実だ。

邸内突入直後の戦闘イベントをクリアしたところからが、実質上、このゲームの真骨頂と考えられている。ここからさらに篩にかけられてゆき、ノーミスのチームは半数近くにしぼられてしまう。

母屋でのターゲット捜索活動は、三班にわかれて三人一組でおこなわれる――そのうちのひとつのグループは、通訳が加わり四人一組となっている。

記録によると、捜索の進行を妨げるための仕掛けが邸内の随所に施されている。どのドアも、内側からロックされていて容易には開けられず、出入り口にレンガが積まれて防壁が築かれた部屋などもある。

各グループは、それらのひとつひとつを突破しながら先へ進まなければならない。その上に、邸内の間取りは迷路のごとく複雑に入り組んでいて、あちこちに偽物のドアが設けられてすらいる。

かように行く手を阻む、種々の細工が部隊に混乱を生む。

一〇名の隊員は、訓練してきた通りに動き、計画に沿って任務を遂行しようとするが、現場の状況は思いのほか障害物が多い。

パキスタン当局がそろそろこの突入劇の情報をつかみ、警察や治安部隊を差し向けてきてもおかしくはない頃だ。

そうなるのも時間の問題だから、尚更早急に目的を遂げなければならないという切迫感——それがいっそう隊員各自の心理的余裕を削り、部隊の混乱に拍車をかける。

●

邸宅一階での捜索にたずさわる、通訳がいない三人一組の二班——その片方のグループを、彼らは担当している。

彼らの行動の様子やその視界にあるものは、各隊員の頭に載った撮影機能付暗視装置によって絶えず記録されている——当の撮影機能付暗視装置は、隊員の装着したＩＢＨヘルメットに、ウィルコックス社製のマウントでとりつけられている。

そしてその記録された映像は、デジタル送信機を通じて即時、シチュエーション・ルームに設置された大型テレビモニターに送られている。それは実写とコンピュータ・グラフィックスを組み合わせた三次元映像となって再生される。

彼ら三名は、実行部隊のチーム・アルファーに属するデヴグルー隊員を演じている。モニター画面上に映し出されるペルソナは、「アングロ・サクソン」、「アフロ・アメリカン」、「ヒスパニック」の成人男性と、三人とも形象が異なる。未だ隊員の身元情報は非公開にされているため、これに関しては記録との照合がなし得ない。したがって、プログラム内での容姿(アバター)はプレーヤーが任意に選択できる。作戦行動中は全身が装備で覆われているから、一見だれがだれだかわかりにくい。それゆえ、映像を視聴する側が各ペルソナを即座に見わけられるようにと、モニターのリモートコントローラーで画面上に所属チームとコードネームを表示できる仕組みになっている。

彼ら三人のペルソナの場合、DIGI2迷彩服、軽量のプレートキャリア・ベスト、ノーメックス素材のグローブ、ゴアテックス素材のタクティカルブーツを、それぞれが着用しているように設定されている。

また、使用する武器は三人ともに共通しており、サプレッサーとELCAN社製Specter DRスコープをとりつけたH&K HK416（カービン銃）、SIG SAUER P226（自動拳銃）、SOG社製SEAL 2000ナイフなどを携帯している。

これらの装備も、可能なかぎり記録の通りに史実を再現しようとした結果である。

迷路のごとく複雑に入り組んだ、邸宅の一階スペース。

無駄なく迅速に――しかし速度超過にはならぬ程度にペースを抑えつつ、三人は一部屋一部屋チェックしてまわる。

どの部屋にも女性や子どもたちがおり、フレックス・カフでひとりひとりの両手を縛り、拘束してゆかなければならない。邸内には、合計一六人の女性と子どもたちがいることになっている。

チーム全体としては、ここまではなにもかもが順調に運んでいる。

難関に差しかかるのは、これからではあるのだが、時間配分も申し分ないペースでできているはず。実際の得点状況は定かではないが、彼ら自身はそう自覚できている。

徹底的にリズムと周期を体におぼえこませたのは、どうやら正解だったらしいことを、チームの皆が感じはじめている。持ち場ごとにばらけてはいるものの、一二人全員が、監督の采配の正しさに徐々に気づきだしている。それはチームプレーの行く末にとって、悪くない兆候に思える。

そうした空気を暗黙裏に、互いに察しあいながらも、もどかしいことにそれを口にはできない。その実感を、通信装置を介して皆と確認しあうことも、プログラム上許されてはいない。

このゲームをプレーしているあいだは、自分自身の心境を言葉にすることは即ペナルティーをとられてしまう。

　それでもあらかじめ、チームの全員に授けられていたひとつの戦術が、一二人の心にはっきりとした一体感を抱かせる。

　もともとは、一五分間の規定時間に任務の所要時間をあわせるために講じられた方策が、思いがけなくも、ここでチームをひとつにまとめる効果も果たしていた。

　どうすれば一五分間の問題を解決できるのか。監督が彼らに示した工夫はこうだった。

　それにはやはり、一五分という時間の長さの感覚を、まずはチームの全員が身につけることが近道であるのは間違いない。

　しかし厄介なのは、自らは身動きせず、あくまでも脳裏だけでその時間感覚を養わなければならないというハードルの高さだ。

　一四歳の中学生にとって、たしかにそれは至難の業にほかなるまい——しかしだからといって、試して損はない手段が皆無というわけではない。

　監督はそう告げてから、次のアイディアをチームの面々に披瀝する。

　一五分間の時間感覚を、常にだれもがイメージできるようになるために、それに適した長さの楽曲を皆で記憶する。

　そしてゲーム本番の際——午前一時一五分の突入開始からG段階到達までの一五分間、チームそろって同時にその曲を声には出さずに唄いつづけ、活動ペースの調整に役立てるのだ。

楽曲の進行にあわせるようにして行動を組み立ててゆけば、時計を見たり時間経過をいちいち気にすることもなく、あまり頭を使わずに規定時間と所要時間を近づけられる。おまけにこれなら余計な動作が生まれにくいから、逸脱行為と見なされる心配も減り、イレギュラー・イベントも発生させずに済む。

去年の反省をしているうちに、こういう攻略法を思いついたので、今年の秘策として試みてみたい——シーズンの初日に、監督は彼らに対しそのように提案していたのだ。

適した長さであれば、なんでもいいから一曲——しかしなるべくリズミカルでおぼえやすい、ポピュラーな歌をチョイスするべきだろう。

そしてそのポップソングを、とにかく空で原曲のリズムのままに唄えるようになるくらい、皆でひたすらおぼえこむ。

肝心なのは適した長さだが、一五分間もある大作を記憶にとどめるのは現実的なやり方とは言いがたい。

たとえば五分ぴったりの歌を選ぶと、三回つづけざまにそれを唄えば一五分になる——そんなふうに、無理なく諳(そら)んじられてキリのいい長さのポップソングこそが望ましい。そのほうが、一二人全員での一斉暗唱には向いている。

かような条件のもと、チームのみんなでいくつかの楽曲を持ち寄り、話し合った末に選び出したのが、ジャクソン5のデビューシングル〝I Want You Back〟（邦題「帰ってほしいの」）だった。

同曲の長さは三分間――だから五回唄えば一五分になる計算だ。

正確には、〝I Want You Back〟は二分五五秒くらいでフェードアウトしきってしまう。ゆえに曲間のギャップにおいても脳裏でリズムを保ち、五秒が経過したあとに歌を再開させなければならない――それを五回くりかえし、一五分にあわせる練習をプレーヤー各自がおこなう必要がある。

この選曲を、監督は手放しで称賛した。

ジャクソン5の〝I Want You Back〟は、だれもが一度は耳にしたことのあるモータウン・サウンドの名曲であるばかりでなく、まさにリズミカルでとてもおぼえやすい。リスナーを浮き浮きとした気持ちにしてくれるので、作戦行動中に聴く楽曲としても効果的だと思われる。また歌詞も、一四歳の中学生が暗記するのに不適切な内容ではない。

かくして彼らのチームは、二ヵ月間の訓練プログラムと並行して、ジャクソン5の〝I Want You Back〟を習得する特訓をつづけていった。一二人全員で、一斉に、同曲を五回連続で唄う練習を密かに重ねていったのだ。

その甲斐あって、ゲームの本番に臨む頃には、一二人全員での〝I Want You Back〟の完全コピーが可能になっていた。さながら音声ファイルを頭のなかにダウンロードでもしたみたいに、オリジナルのままの〝I Want You Back〟を、いかなるときでも彼らは再現できるようになっていたのだ。

ターゲットの隠れ家への突入開始——時計の針が午前一時一五分をまわった途端、彼ら一二人の脳裏では、あのピアノとギターによる快活なイントロが流れだしていた。皆で一緒に今、おなじ歌を唄っている——この体験の共有が一体感を生み、自分たちが理想のテンポでゲームを進めていることを、三分ごとに彼らは自覚できた。

たしかに、互いの実感を確認しあえない心許なさはある——だが、息継ぎする暇もないくらいに、どのプログラムにもやるべき行動が山と用意されているのだから、そもそもがこのゲーム中に私語の機会など得られるはずもないのだった。

一体感を胸に、自分たちチームのテーマ曲をすらすらと唄いながら、ターゲットの捜索活動に彼らはいそしんだ。

唄えば唄うほど、一体感は強まってゆき、プログラムを万全にこなしているという明確な手応えを感じとることができた。

一階の捜索が終わり、部隊はいよいよ活動の場を上階へと移す。

階段は死角が多く、敵の待ち伏せにも遭いやすい危険度の高いゾーンゆえ、突入要員らによる昇り降りには細心の警戒がもとめられる。ことによると、逃げ場所の確保も難しいため、階下からあがってゆく場合は絶えず前方と上方を注視し、速やかに移動しなければならない。

そんなときでも、彼らは頭のなかで〝I Want You Back〟を唄った。同曲冒頭の、次の箇所を思い浮かべるのは、今夜はこれで四回目となる。

When x xxx xxx xx xxxxxx
I xxxxxx xxxx xxx xxxxxx
Those xxxxxx xxxxxx xxxxxx xxxx xxx xxxxx xxx xx x xxxxx
But xxxxxxx xxxxxx xxx xxxx xxx xxxxx
One xxxxxx xxx xxx xx xxxx
Now xxxx xxxx xxx xxxx xxx xx xx xxxx x xxxxxx xxxx

一段一段、慎重ながらも素早く階段をあがっている途中、彼らは踊り場でひとりの住人男性と出くわす。

記録によると、そこで特務部隊が遭遇したのはターゲットの息子だったとされている。

彼らは、その男が視界に入ってきたのとほとんど同時にH&K HK416の引き金を引く。

わずかなためらいもなく、突然の出現者に彼ら三人は銃弾を撃ち込む。

男はなにをする間もなく、一瞬にして射殺されてしまう——この男もまた、武器の類いは所持していなかったことがわかっている。

ここからプログラムは、ついに最大の山場を迎える。

階段途中での、ターゲットの息子の死は、クライマックスとなるイベントのスタート合図にもなっている。

そのとき、階段をのぼりきった三階の手すりから身を乗りだし、階下の状況をうかがっている、別の住人男性の姿を突入要員のひとりが視認する。

すぐさまそちらへ向けて5.56mm NATO弾が撃ち放たれるが、三階の男は間一髪で銃撃をかわし、もといた部屋へと逃げ隠れる。

三階の男を最初に見つけた隊員は、その正体が間違いなく本作戦のターゲットであることを保証する。

記録によると、特務部隊はこの時点ではじめて、ターゲットがこの邸内に潜伏していることの確信を得たのだとされている。

コードネーム〝Cakebread〟は、三階の寝室に潜んでいる――それが今し方、という明らかになったのだ。

●

シチュエーション・ルームの大型テレビモニターには、三階へと階段を駆けあがる、三名の突入要員が映し出されている。

階段をのぼり終えた三人が、三階の通路に立った矢先にいきなり一室のドアが開き、ふたりの少女が叫び声とともになかから飛びだしてくる――その部屋はターゲットが逃げ込んだ場所でもある。

それに対しては、彼ら三人のうちのひとりがとっさに反応する。少女ふたりを両脇に抱きかかえて走りだし、銃撃に遭わずに済みそうな場所まで退避させたのだ。

慣例では、顔色ひとつ変えずに画面を凝視しつづけるのが、シチュエーション・ルームでゲームの推移を見守る監督のエチケットであり、ほぼ唯一の役割のはずだった。

ところが、今年の大会最終日第八試合となる――今回のゲームは様子がちがった。

彼らの監督は、口を半開きにして目を大きく見開き、なにがこれから起ころうとしているのかを必死に見逃すまいとしていた。

ときおり腕時計を一瞥し、理想のテンポが崩れていないことを確認しながら、隠しきれない喜びの笑みをときどき口もとに浮かべてもいた。

ただしそうしたマナー違反は、彼らの監督にかぎった話ではなかった。

驚きや期待、不服や戸惑いや恐れ、さらには作り笑いや半信半疑等々、どの監督にしてもさまざまな感情をあらわにしつつ、大型テレビモニターの画面に釘づけになっていた。

今度こそ本当にパーフェクトが出るかもしれない。

それはかなり現実味のある段階まできていた。

新戦術の成果か、彼らのチームプレーは、対戦チームやライバルチームの監督たちの目にもまったくの無傷に映り、このままゆけば時間配分の点でも史上初の達成をしでかしそうだと受けとめられていた。

パーフェクトが出てしまうかもしれないという喫緊の情勢——それがこの、紳士淑女の集う場だったシチュエーション・ルームを、不作法者の巣窟へと変貌させてしまったのだ。

●

プログラム上の状況は最大級に緊迫している。

邸宅三階の通路。ひとりの突入要員が、少女ふたりを抱きかかえて退避させる——そのうちのひとり、一二歳の少女は、ターゲットの娘だったとする記録がある。

それと同時に、残りの隊員ふたりがターゲットを追い、逃げ込み先の部屋へとただちに侵入する。

このときにも、ふたりのプレーヤーの脳裏では〝I Want You Back〟がリプレーされている。五回目はすでにはじまっていて、チームの士気を限界まで引きあげている。

ターゲットとの対面を目前にして、未だかつてない昂揚感をおぼえるふたり――彼らは思わず、これを声に出して口ずさんでしまう。

Tryin' xx xxxx xxxxxxx xxxx xxxx
Is xxx xxxx xxxxxxxx xxxxx
Let xx xxxx xxx xxxx
That x xxxx xxxxx xxxx xxxxx
Every xxxxxx xxx xxxx xx
I xxxxx xxxx xxxxxx xx xxx xxxxx
Following xxx xxxx
I xxxxxx xxxx xxxx xxxxxx
Let xx xxxx xxx xxx

寝室と思われる室内にて、彼らふたりはターゲットを目視。そこにはターゲットの妻の姿もある。彼らふたりは高らかにこう唄いあげる。

Oh darlin', x xxx xxxxx xx xxx xxx xx

彼らのうちひとりが、ターゲットの妻の脚に銃弾を撃ち込む。

そしてそれに重ねるようにして、もうひとりの突入要員が二発の弾丸を発射し、ターゲットの胸部と頭部を撃ち抜く。

ターゲットは完全に息絶えている。ペルシャ絨毯の敷かれた床に血痕が広がってゆく。部屋の出入り口付近に据え置かれた棚には、AK-47とマカロフ・ピストルが置きっぱなしにされていたことが、記録に残されている。

このとき時刻は、午前一時三〇分ちょうど——規定時間ぴったりのクリアだ。

ついに彼らはノーミスで、G段階プログラムへの到達を果たす——史上初の快挙だ。

彼らのうちのひとりが、記録にある通りのフレーズ——〝For God and country, Geronimo, Geronimo, Geronimo〟を通信用骨伝導ヘッドセットを介して司令官に連絡する。またその司令官から、シチュエーション・ルームへ早速にこのような通知が入る——〝Geronimo-E, KIA〟。

これで任務の大部分が成し遂げられた。

あとは邸内にある、五台のコンピュータと一〇台のハードディスクとその他の大量の記憶装置、DVDや小型メモリーといった記録メディア等々を押収し、ターゲットの遺体をヘリに運びこむ。

そして軍事機密の流出を防ぐため、不時着したサイレントホークを爆破し、待機中のチヌークに搭乗してバグラム空軍基地へ帰還するだけだ。

●

【大会結果報告】

全試合日程を終えた時点で、最高得点をあげた彼らのチームは当然ながら第一位の座に就いていた。

だが、任務中の歌唱が問題視され、いくつかのチームの監督が大会委員会に対し即刻強い抗議に出た。

それについて、各チームの監督をまじえてただちに話し合いが持たれたが、意見は真っ二つにわかれた。

任務中の歌唱は記録にない行動なのだから逸脱行為と見なされるべきだとする側と、プログラムがイレギュラー・イベントを発生させなかったのだからセーフだととらえる側とにわかれた。

結局、その場での議論では結論に至らず、最終的な順位の発表は後日に持ち越された。

三日後に、各チームに通達された今大会の順位表では、彼らのチームは第三位に位置づけられていた――任務中の歌唱により、ペナルティーをとられた結果らしかった。

不平を鳴らす部員も多かったが、それでもパーフェクトを出した事実に変わりはないのだから誇りなさいと、監督はあらためてチームを讃えて彼らをなだめた。

目標にしていた、去年のチーム以上の成績を残し、チームランクもあげることができたのだから、充分すぎる結果だと監督は皆にねぎらいの言葉をかけた。

監督自身は、今回はじめて取り組んだ新戦術が、予想を超えた効果を発揮したことに痛く気を良くしている様子だった——あるいは彼は早くも、来年のチームづくりに意識を傾けているのかもしれなかった。

※本作を組み立てるに際し、二〇一一年六月にディスカバリーチャンネルで放送されたドキュメンタリー特別番組をはじめとして、さまざまなメディアの記事を参考にし、それらから得た情報を組み合わせた。

悟浄歎異——沙門悟浄の手記——

中島敦

中島敦（なかじま・あつし）

一九〇九年、東京府生まれ。四二年没。東京帝国大学国文科卒。一高在学中から「下田の女」他習作を「校友会雑誌」に発表。四一年、パラオに南洋庁国語教科書編集書記として赴任。着任中の四二年に「山月記」「文字禍」を発表、「文學界」に掲載される。同年『光と風と夢』が芥川賞候補となり評価を受けるが早逝。他の著作に『悟浄出世』『弟子』『李陵』等がある。

昼餉の後、師父が道傍の松の樹の下で暫く憩うておられる間、悟空は八戒を近くの原っぱに連出して、変身の術の練習をさせていた。

「やって見ろ！」と悟空が言う。「竜になり度いと本当に思うんだ。いいか。本当にだぜ。此の上無しの、突きつめた気持で、そう思うんだ。ほかの雑念はみんな棄ててだよ。いいか。本気にだぜ。此の上なしの・とことんの・本気にだぜ。」

「よし！」と八戒は眼を閉じ、印を結んだ。八戒の姿が消え、五尺ばかりの青大将が現れた。傍で見ていた俺は思わず吹出して了った。

「莫迦！　青大将にしか成れないのか！」と悟空が叱った。青大将が消えて八戒が現れた。「駄目だよ、俺は。全くどうしてかな？」と八戒は面目無げに鼻を鳴らした。

「駄目駄目。てんで気持が凝らないんじゃないか、お前は。もう一度やって見ろ。いいか。真剣に、かけ値無しの真剣になって、竜に成り度い竜に成り度いと思うんだ。竜に成り度いという気持だけになって、お前というものが消えて了えばいいんだ。」

　よし、もう一度と八戒は印を結ぶ。今度は前と違って奇怪なものが現れた。錦蛇には違いないが、小さな前肢が生えていて、大蜥蜴のようでもある。併し、腹部は八戒自身に似てブヨブヨ膨れており、短い前肢で二三歩匍うと、何とも云えない無恰好さであった。俺は又ゲラゲラ笑えて来た。

「もういい。もういい。止めろ！」と悟空が怒鳴る。頭を掻き掻き八戒が現れる。

悟空。お前の竜に成り度いという気持が、まだまだ突き詰めていないからだ。だから駄目なんだ。

八戒。そんなことはない。これ程一生懸命に、竜に成り度い竜に成り度いと思い詰めているんだぜ。こんなに強く、こんなにひたむきに。

悟空。お前にそれが出来ないという事が、つまり、お前の気持の統一がまだ成っていないということになるんだ。

八戒。そりゃひどいよ。それは結果論じゃないか。

悟空。成程ね。結果からだけ見て原因を批判することは、決して最上のやり方じゃないさ。しかし、此の世では、どうやらそれが一番実際的に確かな方法のようだぜ。今のお前の場合なんか、明らかにそうだからな。

悟空によれば、変化の法とは次の如きものである。即ち、或るものに成り度いという気持が、此の上無く純粋に、此の上無く強烈であれば、竟には其のものに成れる。成れないのは、まだ其の気持が其処迄至っていないからだ。法術の修業とは、斯くの如く己の気持を純一無垢、且つ強烈なものに統一する法を学ぶに在る。此の修業は、かなりむずかしいものには違いないが、一旦其の境に達した後は、最早以前の様な大努力を必要とせず、唯、心を其の形に置くことに依って容易に目的を達し得る。之は、他の諸芸に於けると同様である。変化の術が人間に出来ずして狐狸に出来るのは、つまり、人間には関心すべき種々の事柄が余りに多いが故に精神統一が至難であるに反し、野獣は心を労すべき多くの瑣事を有たず、従って此の統一が容易だからである、云々。

悟空は確かに天才だ。之は疑い無い。それは初めて此の猿を見た瞬間に直ぐ感じ取られたことである。初め、赭顔・鬚面の其の容貌を醜いと感じた俺も、次の瞬間には、彼の内から溢れ出るものに圧倒されて、容貌のことなど、すっかり忘れて了った。今では、時に此の猿の容貌を美しい（とは云えぬ迄も少くとも立派だ）とさえ感じる位だ。其の面魂にも其の言葉つきにも、悟空が自己に対して抱いている信頼が、生々と溢れている。此の男は嘘のつけない男だ。誰に対してよりも、先ず自分に対して。此の男の中には常に火が燃えている。豊かな、激しい火が。其の火は直ぐに傍にいる者に移る。彼の言葉を聞いている中に、自然に此方も彼の信ずる通りに信じないではいられなくなって来る。彼の側にいるだけで、此方までが何か豊かな自信に充ちて来る。彼は火種。世界は彼の為に用意された薪。世界は彼に依って燃される為に在る。

我々には何の奇異も無く見える事柄も、悟空の眼から見ると、悉く素晴らしい冒険の端緒だったり、彼の壮烈な活動を促す機縁だったりする。もともと意味を有った外の世界が彼の注意を惹くというよりは、寧ろ、彼の方で外の世界に一つ一つ意味を与えて行くように思われる。彼の内なる火が、外の世界に空しく冷えた儘眠っている火薬に、一々点火して行くのである。探偵の眼を以て其等を探し出すのではなく、詩人の心を以て（恐ろしく荒っぽい詩人だが）彼に触れる凡てを温め、（時に焦す惧も無いではない。）其処から種々な思い掛けない芽を出させ、実を結ばせるのだ。だから、渠・悟空の眼にとって平凡陳腐なものは何一つ無い。毎日早朝に起きると決って彼は日の出を拝み、そして、始めてそれを見る者の様な驚嘆を以て其の美に感じ入っている。心の底から、溜息をついて、讃嘆するのである。これが殆ど毎朝のことだ。松の種子から松の芽の出かかっているのを見て、何たる不思議さよと眼を瞠るのも、此の男である。

此の無邪気な悟空の姿と比べて、一方、強敵と闘っている時の彼を見よ！　何と、見事な、完全な姿であろう！　全身些かの隙もない逞しい緊張。律動的で、しかも一分の無駄も無い棒の使い方。疲れを知らぬ肉体が歓び・たけり・汗ばみ・跳ねている・其の圧倒的な力量感。如何なる困難をも欣んで迎える強靭な精神力の汪溢。それは、輝く太陽よりも、咲誇る向日葵よりも、鳴盛る蟬よりも、もっと打込んだ・裸身の・壮んな・

没我的な・灼熱した美しさだ。あのみっともない猿の闘っている姿は。

一月程前、彼が翠雲山中で大いに牛魔大王と戦った時の姿は、未だにはっきり眼底に残っている。感嘆の余り、俺は其の時の戦闘経過を詳しく記録に取って置いた位だ。

……牛魔王一匹の香獐と変じ悠然として草を喰いいたり。悟空之を悟り虎に変じ駈け来りて香獐を喰わんとす。牛魔王急に大豹と化して虎を撃たんと飛び掛かる。悟空之を見て狻猊となり大豹目掛けて襲いかかれば、牛魔王、さらばと黄獅に変じ霹靂の如くに哮って狻猊を引裂かんとす。悟空この時地上に転倒すと見えしが、竟に一匹の大象となる。鼻は長蛇の如く牙は筍に似たり。牛魔王堪えかねて本相を顕し、忽ち一匹の大白牛たり。頭は高峯の如く眼は電光の如く双角は両座の鉄塔に似たり。頭より尾に至る長さ千余丈、蹄より背上に至る高さ八百丈。大音に呼ばわって曰く、爾悪猴今我を如何とするや。悟空又同じく本相を顕し、大喝一声するよと見るまに、身の高さ一万丈、頭は泰山に似て眼は日月の如く、口は恰も血池にひとし。奮然鉄棒を揮って牛魔王を打つ。牛魔王角を以て之を受止め、両人半山の中にあって散々に戦いければ、寔に山も崩れ海も湧返り、天地も之がために反覆するかと、すさまじかり。………………

何という壮観だったろう！　俺はホッと溜息を吐いた。傍から助太刀に出ようという気も起らない。孫行者の負ける心配が無いからというのではなく、一幅の完全な名画の上に更に拙い筆を加えるのを愧じる気持からである。

災厄は、悟空の火にとって、油である。困難に出会う時、彼の全身は（精神も肉体も）焔々と燃上る。逆に、平穏無事の時、彼は可笑しい程、しょげている。独楽のように、彼は、何時も全速力で廻っていなければ、倒れて了うのだ。困難な現実も、悟空にとっては、一つの地図——目的地への最短の路がハッキリと太く線を引かれた一つの地図として映るらしい。現実の事態の認識と同時に、其の中にあって自己の目的に到達すべき道が、実に明瞭に、彼には見えるのだ。或いは、其の途以外の一切が見えない、といった方が本当かも知れぬ。闇夜の発光文字の如くに、必要な途だけがハッキリ浮かび上り、他は一切見えないのだ。我々鈍根のものが未だ茫然として考えも纏まらない中に、悟空はもう行動を始める。目的への最短の道に向って歩き出しているのだ。人は、彼の武勇や腕力を云々する。しかし、其の驚くべき天才的な智慧に就いては案外知らないようである。彼の場合には、その思慮や判断が余りにも渾然と、腕力行為の中に溶け込んでいるのだ。

俺は、悟空の文盲なことを知っている。曾て天上で弼馬温なる馬方の役に任ぜられながら、弼馬温の字も知らなければ、役目の内容も知らないでいた程、無学なことを良く知っている。しかし、俺は、悟空の（力と調和された）智慧と判断の高さとを何ものにも優(ま)して高く買う。悟空は教養が高いとさえ思うこともある。少くとも、動物・植物・天文に関する限り、彼の智識は相当なものだ。彼は、大抵の動物なら一見して其の性質、強さの程度、その主要な武器の特徴などを見抜いて了う。雑草に就いても、どれが薬草で、どれが毒草かを、実に良く心得ている。その癖、其の動物や植物の名称（世間一般に通用している名前）は、全然(まるで)知らないのだ。彼は又、星によって方角や時刻や季節を知るのを得意としているが、角宿(かくしゅく)という名も心宿(しんしゅく)という名も知りはしない。二十八宿の名を悉くそらんじていながら実物(ほんもの)を見分けることの出来ぬ俺と比べて、何という相異だろう！　目に一丁字の無い此の猴(さる)の前にいる時程、文字による教養の哀れさを感じさせられることはない。

　悟空の身体の部分部分は——目も耳も口も脚も手も——みんな何時も嬉しくて堪らないらしい。生々(いきいき)とし、ピチピチしている。殊に戦う段になると、其等の各部分は歓喜の余り、花にむらがる夏の蜂のように一斉にワアーッと歓声を挙げるのだ。悟空の戦いぶりが、其の真剣な気魄にも係らず、何処か遊戯(ゆうげ)の趣を備えているのは、このためであろうか。人は良く「死ぬ覚悟」などと云うが、悟空という男は決して死ぬ覚悟なんかしない。どんな危険に陥った場合でも、彼は唯、今自分のしている仕事（妖怪を退治するなり、三蔵法師を救い出すなり）の成否を憂えるだけで、自分の生命のことなどは、てんで考えの中に浮かんで来ないのである。太上老君（たいじょうろうくん）の八卦炉中（はっけろちゅう）に焼殺されかかった時も、銀角大王の泰山圧頂の法に遭うて、泰山・須弥山（しゅみせん）・峨眉山（がびさん）の三山の下に圧し潰されそうになった時も、彼は決して自己の生命の為に悲鳴を上げはしなかった。最も苦しんだのは、小雷音寺の黄眉老仏（こうびろうぶつ）のために不思議な金鐃（きんにょう）の下に閉じ込められた時である。推せども突けども金鐃は破れず、身を大きく変化させて突破ろうとしても、悟空の身が大きくなれば金鐃も伸びて大きくなり、身を縮めれば金鐃も亦（また）縮まる始末で、どうにも仕様がない。身の毛を抜いて錐と変じ、之で穴を穿（うが）とうとしても、金鐃には傷一つ付かない。その中（うち）に、ものを蕩（とろ）かして水と化する此の器の力で、悟空の臀部の方がそろそろ柔くなり始めたが、それでも彼は唯妖怪に捕えられた師父の身の上ばかりを気遣っていたらしい。悟空には自分の運命に対する無限の自信があるのだ。（自分では其の自信を意識していないらしいが。）やがて、天界から加勢に来た亢金竜（こうきんりゅう）が其の鉄の如き角を以て満身の力をこめ、外から金鐃を突通した。角は見事に内まで突通ったが、此の金鐃は恰（あたか）も人の肉の如くに角に纏いついて、少しの隙も無い。風の洩る程の隙間でもあれば、悟空は身をけし粒と化して脱れ出るのだが、それも出来ない。半ば臀部は溶けかかりながら、苦心惨憺の末、ついに耳の中から金箍棒（きんそうぼう）を取出して鋼鑽（きり）に変え、金竜の角の上に孔を穿ち、身を芥子粒（けしつぶ）に変じて其の孔に潜み、金竜に角を引抜かせたのである。漸く助かった彼は、柔くなった己（おのれ）の尻のことも忘れ、直ぐさま師父の救い出しに掛かるのだ。後になっても、あの時は危かったなどと決して言ったことが無い。「危ない」とか「もう駄目だ」とか、感じたことが無いのだろう。此の男は、自分の寿命とか生命とかに就いて考えたことも無いに違いない。彼の死ぬ時は、ポクンと、自分でも知らずに死んでいるだろう。その一瞬前迄は潑剌と暴れ廻っているに違いない。全く、此の男の事業は、壮大という感じはしても、決して悲壮な感じはしないのである。

　猿は人真似をするというのに、これは又、何と人真似をしない猴（さる）だろう！　真似どころか、他人から押付けられた考えは、仮令（たとい）それが何千年の昔から万人に認められている考え方であっても、絶対に受付けないのだ。自分で充分に納得できない限りは。

　因襲も世間的名声も此の男の前には何の権威も無い。

　悟空の今一つの特色は、決して過去を語らぬことである。というより、彼は、過去った事は一切忘れて了うらしい。少くとも個々の出来事は忘れて了うのだ。其の代り、一つ一つの経験の与えた教訓は其の都度、彼の血液の中に吸収され、直ちに彼の精神及び肉体の一部と化して了う。今更、個々の出来事を一つ一つ記憶している必要はなくなるのである。彼が戦略上の同じ誤を決して二度と繰返さないのを見ても、之は判る。しかも彼は其の教訓を、何時（いつ）、どんな苦い経験によって得たのかは、すっかり忘れ果てている。無意識の中に体験を完全に吸収する不思議な力を此の猴は有っているのだ。

但し、彼にも決して忘れることの出来ぬ怖ろしい体験がたった一つあった。或る時彼は其の時の恐ろしさを俺に向ってしみじみと語ったことがある。それは、彼が始めて釈迦如来に知遇し奉った時のことだ。

其の頃、悟空は自分の力の限界を知らなかった。彼が藕糸歩雲の履を穿き鎖子黄金の甲を着け、東海竜王から奪った一万三千五百斤の如意金箍棒を揮って闘う所、天上にも天下にも之に敵する者が無いのである。列仙の集まる蟠桃会を擾がし、其の罰として閉じ込められた八卦炉をも打破って飛出すや、天上界も狭しとばかり荒れ狂うた。群がる天兵を打倒し薙ぎ倒し、三十六員の雷将を率いた討手の大将祐聖真君を相手に、霊霄殿の前に戦うこと半日余り。其の時丁度、迦葉・阿難の二尊者を連れた釈迦牟尼如来が其処を通りかかり、悟空の前に立ち塞がって闘いを停め給うた。悟空が怫然として喰って掛かる。如来が笑いながら言う。「大層威張っているようだが、一体、お前は如何なる道を修し得たというのか？」悟空曰く「東勝神州傲来国華果山に石卵より生れたる此の俺の力を知らぬとは、さてさて愚かな奴。俺は既に不老長生の法を修し畢り、雲に乗り風に御し一瞬に十万八千里を行く者だ。」如来の曰く、「大きなことを言うものではない。十万八千里はおろか、我が掌に上って、さて、其の外へ飛出すことすら出来まいに。」

「何を！」と腹を立てた悟空は、いきなり如来の掌の上に跳り上った。「俺は通力によって八十万里を飛行するのに、爾の掌の外に飛出せまいとは何事だ！」言いも終らず觔斗雲に打乗って忽ち二三十万里も来たかと思われる頃、赤く大いなる五本の柱を見た。渠は此の柱の許に立寄り、真中の一本に、斉天大聖到此一遊と墨くろぐろと書きしるした。さて再び雲に乗って如来の掌に飛帰り、得々として言った。「掌どころか、既に三十万里の遠くに飛行して、柱にしるしを留めて来たぞ！」「愚かな山猿よ！」と如来は笑った。「汝の通力が抑々何事を成し得るというのか？　汝は先刻から我が掌の内を往返したに過ぎぬではないか。嘘と思わば、此の指を見るがよい。」悟空が異しんで、よくよく見れば、如来の右手の中指に、未だ墨痕も新しく　斉天大聖到此一遊　と己の筆跡で書き付けてある。「これは？」と驚いて振仰ぐ如来の顔から、今迄の微笑が消えた。急に厳粛に変った如来の目が悟空をキッと見据えたまま、忽ち天をも隠すかと思われる程の大きさに拡がって、悟空の上にのし掛かって来た。悟空は総身の血が凍るような怖しさを覚え、慌てて掌の外へ跳び出そうとした途端に、如来が手を翻して彼を取抑え、そのの儘五指を化して五行山とし、悟空を其の山の下に押込め、唵嘛呢叭咪吽の六字を金書して山頂に貼り給うた。世界が根柢から覆り、今迄の自分が自分でなくなった様な昏迷に、悟空は尚暫く顫えていた。事実、世界は彼にとって其の時以来一変したのである。爾後、餓うる時は鉄丸を喰い、渇する時は銅汁を飲んで、岩窟の中に封じられた儘、贖罪の期の充ちるのを待たねばならなかった。悟空は、今迄の極度の増上慢から、一転して極度の自信の無さに堕ちた。彼は気が弱くなり、時には苦しさの余り、恥も外聞も構わずワアワアと大声で哭いた。五百年経って、天竺への旅の途中に偶々通り掛かった三蔵法師が五行山頂の呪符を剝がして悟空を解き放って呉れた時、彼は又ワアワアと哭いた。今度のは嬉し涙であった。悟空が三蔵に随って遥々天竺迄ついて行こうというのも、唯この嬉しさ有難さからである。実に純粋で、且つ、最も強烈な感謝であった。

さて、今にして思えば、釈迦牟尼によって取抑えられた時の恐怖が、それ迄の悟空の・途方も無く大きな（善悪以前の）存在に、一つの地上的制限を与えたもののようである。しかも尚、此の猴の形をした大きな存在が地上の生活に役立つものと成る為には、五行山の重みの下に五百年間押し付けられ、小さく凝集する必要があったのである。だが、凝固して小さくなった現在の悟空が、俺達から見ると、何と、段違いに素晴らしく大きく見事であることか！

三蔵法師は不思議な方である。実に弱い。驚く程弱い。変化の術も固より知らぬ。途で妖怪に襲われれば、直ぐに摑まって了う。弱いというよりも、まるで自己防衛の本能が無いのだ。此の意気地の無い三蔵法師に、我々三人が斉しく惹かれているというのは、一体どういう訳だろう？（こんな事を考えるのは俺だけだ。悟空も八戒も唯何となく師父を敬愛しているだけなのだから。）私は思うに、我々は師父のあの弱さの中に見られる或る悲劇的なものに惹かれるのではないか。之こそ、我々・妖怪からの成上り者には絶対に無い所のものなのだから。三蔵法師は、大きなものの中に於ける自分の（或いは人間の、或いは生物（いきもの）の）位置を——その哀れさと貴さとをハッキリ悟っておられる。しかも、其の悲劇性に堪えて尚、正しく美しいものを勇敢に求めて行かれる。確かに之だ、我々に無くて師に在るものは。成程、我々は師よりも腕力がある。多少の変化の術も心得ている。併し、一旦己（おのれ）の位置の悲劇性を悟ったが最後、金輪際、正しく美しい生活を真面目に続けて行くことが出来ないに違いない。あの弱い師父の中にある・この貴い強さには、全く驚嘆の外は無い。内なる貴さが外（そと）の弱さに包まれている所に、師父の魅力があるのだと、俺は考える。もっとも、あの不埒な八戒の解釈に依れば、俺達の——少くとも悟空の師父に対する敬愛の中には、多分に男色的要素が含まれているというのだが。

　全く、悟空のあの実行的な天才に比べて、三蔵法師は、何と実務的には鈍物（どんぶつ）であることか！　だが、之は二人の生きることの目的が違うのだから問題にはならぬ。外面的な困難にぶつかった時、師父は、それを切抜ける途を外に求めずして、内に求める。つまり自分の心をそれに耐え得るように構えるのである。いや、其の時慌てて構えずとも、外的な事故に依って内なるものが動揺を受けないように、平生から構えが出来て了っている。何時何処で窮死しても尚幸福であり得る心を、師は既に作り上げておられる。だから、外に途を求める必要が無いのだ。我々から見ると危くて仕方の無い肉体上の無防禦も、つまりは、師の精神にとって別に大した影響は無いのである。悟空の方は、見た眼には頗る鮮やかだが、しかし彼の天才を以てしても尚打開できない様な事態が世には存在するかも知れぬ。併し、師の場合には其の心配は無い。師にとっては、何も打開する必要が無いのだから。

悟空には、嚇怒はあっても苦悩は無い。歓喜はあっても憂愁は無い。彼が単純に斯の生を肯定できるのに何の不思議もない。三蔵法師の場合はどうか？　あの病身と、禦ぐことを知らない弱さと、常に妖怪共の迫害を受けている日々とを以てして、なお師父は怡しげに生を肯われる。之は大したことではないか！

おかしいことに、悟空は、師の自分より優っている此の点を理解していない。唯何となく師父から離れられないのだと思っている。機嫌の悪い時には、自分が三蔵法師に随っているのは、ただ緊箍咒（悟空の頭に嵌められている金の輪で、悟空が三蔵法師の命に従わぬ時には此の輪が肉に喰い入って彼の頭を緊め付け、堪え難い痛みを起すのだ。）のためだ、などと考えたりしている。そして「世話の焼ける先生だ。」などとブツブツ言いながら、妖怪に捕えられた師父を救い出しに行くのだ。「危くて見ちゃいられない。どうして先生はああなんだろうなあ！」と云う時、悟空はそれを弱きものへの憐愍だと自惚れているらしいが、実は、悟空の師に対する気持の中に、生き物の凡てが有つ・優者に対する本能的な畏敬、美と貴さへの憧憬が多分に加わっていることを、彼は自ら知らぬのである。

もっと可笑しいのは、師父自身が、自分の悟空に対する優越を御存じないことだ。妖怪の手から救い出される度毎に、師は涙を流して悟空に感謝される。「お前が助けて呉れなかったら、わしの生命はなかったろうに！」と。だが、実際は、どんな妖怪に喰われようと、師の生命は死にはせぬのだ。

二人とも自分達の真の関係を知らずに、互いに敬愛し合って（勿論、時には一寸したいさかいはあるにしても）いるのは、面白い眺めである。凡そ対蹠的な此の二人の間に、しかし、たった一つ共通点があることに、俺は気が付いた。それは、二人が其の生き方に於て、共に、所与を必然と考え、必然を完全と感じていることだ。更には、その必然を自由と見做していることだ。金剛石と炭とは同じ物質から出来上っているのだそうだが、その金剛石と炭よりももっと違い方の甚だしい此の二人の生き方が、共に斯うした現実の受取り方の上に立っているのは面白い。そして、この「必然と自由の等置」こそ、彼等が天才であることの徴でなくて何であろうか？

悟空、八戒、俺と我々三人は、全くおかしい位それぞれに違っている。日が暮れて宿が無く、路傍の廃寺に泊ることに相談が一決する時でも、三人はそれぞれ違った考えの下に一致しているのである。悟空は、斯かる廃寺こそ屈竟の妖怪退治の場所だとして、進んで選ぶのだ。八戒は、今更他処を尋ねるのも億劫だし、早く家に入って食事もしたいし、眠くもあるし、というのだし、俺の場合は、「どうせ此の辺は邪悪な妖精に満ちているのだろう。何処へ行ったって災難に遭うのだとすれば、此処を災難の場所として選んでもいいではないか」と考えるのだ。生きものが三人寄れば、皆この様に違うものであろうか？　生きものの生き方程面白いものは無い。

　孫行者の華やかさに圧倒されて、すっかり影の薄らいだ感じだが、猪悟能八戒も亦特色のある男には違いない。兎に角、此の豚は恐ろしく此の生を、此の世を愛しておる。嗅覚・味覚・触覚の凡てを挙げて、此の世に執しておる。或る時八戒が俺に言ったことがある。「我々が天竺へ行くのは何の為だ？　善業を修して来世に極楽に生れんが為だろうか？　所で、其の極楽とはどんな所だろう。蓮の葉の上に乗っかって唯ゆらゆら揺れているだけでは仕様が無いじゃないか。極楽にも、あの湯気の立つ羹をフウフウ吹きながら吸う楽しみや、こりこり皮の焦げた香ばしい焼肉を頬張る楽しみがあるのだろうか？　そうでなくて、話に聞く仙人のように唯霞を吸って生きて行くだけだったら、ああ、厭だ、厭だ。そんな極楽なんか、真平だ！　仮令、辛い事があっても、又それを忘れさせて呉れる・堪えられぬ怡しさのある此の世が一番いいよ。少くとも俺にはね。」

そう言ってから八戒は、自分が此の世で楽しいと思う事柄を一つ一つ数え立てた。夏の木蔭の午睡。渓流の水浴。月夜の吹笛。春暁の朝寐。冬夜の炉辺歓談。……何と愉しげに、又、何と数多くの項目を彼は数え立てたことだろう！　殊に、若い女人の肉体の美しさと、四季それぞれの食物の味に言い及んだ時、彼の言葉は何時迄経っても尽きぬものの様に思われた。俺は魂消て了った。此の世に斯くも多くの怡しき事があり、それを又、斯くも余す所無く味わっている奴がいようなどとは、考えもしなかったからである。成程、楽しむにも才能の要るものだなと俺は気が付き、爾来、此の豚を軽蔑することを止めた。だが、八戒と語ることが繁くなるにつれ、最近妙な事に気が付いて来た。それは、八戒の享楽主義の底に、時々、妙に不気味なものの影がちらりと覗くことだ。「師父に対する尊敬と、孫行者への畏怖とが無かったら、俺はとっくに斯んな辛い旅なんか止めて了っていたろう。」などと口では言っている癖に、実際は其の享楽家的な外貌の下に戦々兢々として薄氷を履むような思いの潜んでいることを、俺は確かに見抜いたのだ。いわば、天竺への此の旅が、あの豚にとっても（俺にとってと同様）、幻滅と絶望との果に、最後に縋り付いた唯一筋の糸に違いないと思われる節が確かにあるのだ。だが、今は八戒の享楽主義の秘密への考察に耽っている訳には行かぬ。兎に角、今の所、俺は孫行者からあらゆるものを学び取らねばならぬのだ。他の事を顧みている暇は無い。

三蔵法師の智慧や八戒の生き方は、孫行者を卒業してからのことだ。まだまだ俺は悟空から殆ど何ものをも学び取っておりはせぬ。流沙河の水を出てから、一体どれ程進歩したか？　依然たる呉下の旧阿蒙ではないのか。此の旅行に於ける俺の役割にしたって、そうだ。平穏無事の時に悟空の行き過ぎを引き留め、毎日の八戒の怠惰を戒めること。それだけではないか。何も積極的な役割が無いのだ。俺みたいな者は、何時何処の世に生れても、結局は、調節者、忠告者、観測者にとどまるのだろうか。決して行動者には成れないのだろうか？

　孫行者の行動を見るにつけ、俺は考えずにはいられない。「燃え盛る火は、自らの燃えていることを知るまい。自分は燃えているな、などと考えている中は、まだ本当に燃えていないのだ。」と。悟空の闊達無碍の働きを見ながら俺は何時も思う。「自由な行為とは、どうしてもそれをせずにはいられないものが内に熟して来て、自ずと外に現れる行為の謂だ。」と。所で、俺はそれを思うだけなのだ。未だ一歩でも悟空について行けないのだ。学ぼう、学ぼうと思いながらも、悟空の雰囲気の持つ桁違いの大きさに、又、悟空的なるものの肌合の粗さに、恐れをなして近付けないのだ。実際、正直な所を云えば、悟空は、どう考えても余り有難い朋輩とは言えない。人の気持に思い遣りが無く、只もう頭からガミガミ怒鳴り付ける。自己の能力を標準にして他人にもそれを要求し、それが出来ないからとて怒りつけるのだから堪らない。彼は自分の才能の非凡さに就いての自覚が無いのだとも云える。彼が意地悪でないことだけは、確かに俺達にも良く解る。ただ彼には弱者の能力の程度がうまく呑み込めず、従って、弱者の狐疑(こぎ)・躊躇(ちゅうちょ)・不安などに一向同情が無いので、つい、余りのじれったさに疳癪を起すのだ。俺達の無能力が彼を怒らせさえしなければ、彼は実に人の善い無邪気な子供の様な男だ。八戒は何時も寐過(ねすご)したり怠けたり化け損ったりして、怒られ通しである。俺が比較的彼を怒らせないのは、今迄彼と一定の距離を保っていて彼の前に余りボロを出さないようにしていたからだ。こんな事では何時迄経っても学べる訳が無い。もっと悟空に近附き、如何に彼の荒さが神経にこたえようとも、どしどし叱られ殴られ罵られ、此方からも罵り返して、身を以てあの猿から凡てを学び取らねばならぬ。遠方から眺めて感嘆しているだけでは何にもならない。

夜。俺は独り目覚めている。

今夜は宿が見付からず、山陰の渓谷の大樹の下に草を藉(し)いて、四人がごろ寝をしている。一人おいて向うに寝ている筈の悟空の鼾(いびき)が山谷(さんこく)に谺(こだま)するばかりで、その度に頭上の木の葉の露がパラパラと落ちて来る。夏とはいえ、山の夜気は流石にうすら寒い。もう真夜中は過ぎたに違いない。俺は先刻から仰向けに寝ころんだ儘、木の葉の隙から覗く星共を見上げている。寂しい。何かひどく寂しい。自分があの淋しい星の上にたった独りで立って、真暗な・冷たい・何にも無い世界の夜を眺めているような気がする。星と云う奴は、以前から、永遠だの無限だのという事を考えさせるので、どうも苦手(にがて)だ。それでも、仰向いているものだから、いやでも星を見ない訳に行かない。青白い大きな星の傍に、紅い小さな星がある。そのずっと下の方に、稍々黄色味を帯びた暖かそうな星があるのだが、それは風が吹いて葉が揺れる度に、見えたり隠れたりする。流れ星が尾を曳いて、消える。何故か知らないが、其の時不図(ふと)俺は、三蔵法師の澄んだ寂しげな眼を思い出した。常に遠くを見詰めているような・何物かに対する憫(あわ)れみを何時も湛えているような眼である。それが何に対する憫れみなのか、平生は一向見当が付かないでいたが、今、ひょいと、判ったような気がした。師父は何時も永遠を見ていられる。それから、その永遠と対比された地上のなべてのものの運命(さだめ)をもはっきりと見ておられる。何時かは来る滅亡(ほろび)の前に、それでも可憐に花開こうとする叡智(ちえ)や愛情(なさけ)や、そうした数々の善きものの上に、師父は絶えず凝乎(じっ)と憫(あわ)れみの眼差を注いでおられるのではなかろうか。星を見ていると、何だかそんな気がして来た。俺は起上って、隣に寝ておられる師父の顔を覗き込む。暫く其の安らかな寝顔を見、静かな寝息を聞いている中(うち)に、俺は、心の奥に何かがポッと点火されたようなほのかな温かさを感じて来た。

――「わが西遊記」の中――

KISS

島村洋子

島村洋子（しまむら・ようこ）
一九六四年、大阪府生まれ。帝塚山学院短期大学卒。八五年、「独楽」でコバルト・ノベル大賞を受賞しデビュー。集英社の少女向けレーベル「コバルト文庫」等で活躍しながら、恋愛小説のみならず、時代小説、家族小説、ホラー小説、スポーツ小説他幅広いジャンルの作品を執筆。エッセイ、新書も精力的に発表。『家族善哉』『あんたのバラード』『野球小僧』『バブルを抱きしめて』他著作多数。

「本当に、本当か？」

シンジが何度もそう問いかけるので、はじめのうちコウスケは腹を立てていたのだが、ようやく最近はシンジも信じるようになったらしい。

シンジはマスコミで「グラビア・クイーン」という冠をつけて呼ばれるセクシー・アイドル栗原はるなの大ファンなのだが、その栗原はるな（当時は春美だったが）は実はコウスケの同級生だったのだ。

たしか小学四年のときに春美は東京から転校してきて中学二年のとき母親の再婚でまた東京に行くまでの五年間、コウスケの故郷の和歌山の勝浦で生活していた。

それからしばらくして東京でスカウトされてデビューしたらしい。

シンジには言ってないが、春美はずーっといじめられっこで勉強もできなかった。川原でひとりしゃがみこんで泣いている姿を学校帰りにコウスケは何度も目撃した。あるいはじっと公園にすわったまま、野良猫や野良犬と遊んでいたりした。

春美と家が近かったコウスケは積極的に自分から話しかけることはほとんどなかった

が、目が合ったときにその寂しげで切なげな表情を隠して笑顔になるので、そのまま立ち去ることができなくて一緒にずーっとすわっていたことはある。

春美の家ほど複雑ではなかったが、コウスケの家もそれなりの事情を抱えていた時期だったので、話さなくてもなんとなく彼女の気持ちはわかるような気がしたからである。

どこをさぐっても恋心などはなかった。

友情というものも同情というものもそれほどなかったように思う。

たぶん、そこにあったのは自分たちはまだこどもなのだ、こどもではないのにこどもと扱われているのだ、そしてそれはとてつもなく力がないことなのだということを一瞬、一瞬、いやがうえにも認識させられることなのだ、という気持ちをお互いに持っている、という連帯感だった。

当時の春美はゴボウのようにやせっぽっちで色が黒かったので、初めて少年漫画雑誌のグラビアを見たときは気づかなかったくらいだ。

こんなに色が白く、こんなに巨乳になるなんて、なんか怪しい薬か魔法かを使ったのではないか、とコウスケは今でもいぶかしんでいる。

それに「春美」と「はるな」では鼻の高さというか、形がまるでちがう。

目は当時からぱっちりして黒目がちで可愛かったが、鼻は丸かったと思う。

しかしこれもコウスケはシンジには言っていない。

それはシンジのファン心を傷つけないため、というより、春美のためである。

それは決して「栗原はるな」のためではない。

「はるなちゃんの家ってどんな家？」

とシンジに問いかけられても、

「べつに。ふつうの家」

とコウスケは答えていた。

年老いた祖母が春美とその弟のめんどうを見ていて、びっくりするほど若い母親はいつも男性問題を起こしているので有名だった、とは言わなかった。

春美はこどもとは思えないほど人に気を使っていた。

それも他人よりも特に肉親に。

春美にはうっすらと不幸の匂いすら漂っていたのに、バラエティー番組などで豪快に大笑いしている「栗原はるな」を見るとその陰の部分が微塵（みじん）も感じられないのがコウスケには不思議でならない。

しかしそれはたぶん、彼女にとって良いことなのだろう。

彼女のことを激しく何か思うということは今も昔もないが、幸福であってほしいと思う。

自分はしがない二流私大の工学部に通う大学生だが、なんとか幸福にやっている。

仕送りがあまりに少ないのと、意中の松倉冬香（まつくらふゆか）にはいつも相手にされていないのが不幸といえば不幸だが。

　だから大学のサークルの連中にも同級生にもコウスケは栗原はるなと同級生であるということは言っていない。

　ファースト・キスの相手が彼女であることも。

1

　コウスケは春美に二度と会うつもりなどなかったのに、シンジが「栗原はるなセカンド写真集『ＨＡＲＵＮＡⅡ』発売記念サイン会」の整理券をもらってきた。

「苦労して抽選に当たったんだし、二名まで行けるんだから行こうよ」

　当たったはがきを握り締めて学食で拝（おが）むように何度も何度も頭を下げるシンジにそう頼まれたコウスケだったけれど、行くつもりはなかった。

「俺とこの人が同級生だったのは間違いのない事実なんだけどさ、向こうは絶対に覚えてないと思うし、べつに俺とサイン会に並んだからといっておまえにいいことあるとも思えないよ。佐々木（ささき）さんでも誘ってみな、大ファンだってこないだの飲み会で白状してたもん、喜ぶよ」

コウスケは先輩の名前を出してまで逃れようとした。

覚えられていないのもいやだったが、覚えられているのもいやだった。

川原にすわってしくしく泣いている春美を見つけて自転車を停めて横にすわり、なんとなく背中をポンと叩いて、

「まあ元気出しいな」

というつもりが背中を撫でてしまい、すると春美が突然、振り向いて自分の唇に唇を重ねて来たから突き飛ばした、そして自転車を漕いで帰った。

それは春美のことが嫌いだったというより、そんな場面を見られてクラスの連中にからかわれるのがいやだったからである。

春美は何しろクラスで馬鹿にされまくっていたので、自分もその仲間にされるのがいやだったという、思い返してもコウスケは自分で自分が情けなくなる卑怯な気持ちだった。

その後、半月くらいで春美は転校して行った。

今、思うとそれは春美の別れの挨拶だったかもしれないし、感謝の気持ちだったのかもしれない。

なのに春美にくっつけられている「いやらしい感じの女」というレッテルが自分にまでくっつけられるようでそのときのコウスケはいやだったのだ。

今なら「いやらしい感じの女」大好き、「いやらしい感じの女」ラッキー、って思うのだが。

春美のこどもらしからぬ色気は今、いい方向にはたらいてセクシー・アイドルになったのだろう。

しかし当時はそれがクラスの女子を、そしてそれに乗っかってくる男子のテレを刺激して嫌われる原因になったのだ。

他人に気を使う小心で優しい女の子だったのに。

その小心さがなんだかみみっちいような貧乏くさいような感じがしてコウスケはいやだった。

当時の春美の気持ちはわからない。

あのキスだって、自分に親切にしてくれたお礼というか、ただの気持ちのたかまりを相手に示す方法がそれしかなかったのかもしれないだけで、愛だの恋だの、というものとはちがったのかもしれない。

どちらにせよ、もう華やかな彼女はそのことを思い出しもしないだろう、とコウスケは思い直し、シンジとともにサイン会に並ぶことにした。

銀座の中央通りに面した大きな書店にサイン会の始まる二時間も前についたのに、会場はコウスケたちと同い年くらいの男たちの熱気でむんむんしていた。

明るい照明の下で並んでいる本の題名を平気なふりして眺めていたコウスケだったが、時間が近づくにしたがってなんだかどきどきしてきた。

列に並んでいるときに店員らしい男に、

「ここにご自分の名前を書いてください」

と白い紙を渡された。

コウスケは自分の名前を書くかどうか少し迷った。

「おまえ、ペンもってないの？」

心なしか頬を紅潮させたシンジがサインペンを寄越しながら言った。

「ああ、うん」

曖昧に返事をしたコウスケは「春美は自分を絶対に覚えていないし、覚えていても忘れたことにするはずだ」ともう一度つよく思い直して、白い紙に自分の名前を書いた。

「俺が金を出してやるから。今日ついてきてくれたお礼だよ」

もう一冊はとっくに買ってあるだろうに、シンジはそう言いながら五千円近くもするサイン用の写真集を二冊、買った。

「そんなにいいのかなあ」

という言葉を、コウスケは独り言のようにつぶやきながらそのときを待った。

階段の下まで続く列はなかなか進まない。

限定しているとはいいながら、いちいち相手の名前を書いてサインをして握手もして写真撮影にも応じていたらしょうがないのかもしれないが。

2

先にサインをもらったシンジは押し戴くように写真集をもち、もって来たデジカメで何度も「栗原はるな」を撮っていた。

はるなはサーモンピンクのキャミソールドレスで、大きな胸元が見えそうで見えない。金髪というほどではないが明るく染められた肩までの髪やうつむいていると一段と長く見えるまつげをコウスケはじっと見つめた。

自分の知っている春美とは別人なのだ、とコウスケははっきり感じた。

白い紙をはるなの横に立っている女の人に渡して、本をはるなの前に置いた。

はるなは一瞬、こちらを見上げてほほ笑んだがそれは特別なことではなく、全員にしていることらしかった。

「ミズタニ・コウスケさん?」

はるなはコウスケの名を声に出したが、それも特別なことではない。

さっきもシンジの名前を声に出していた。

しかしその声は懐かしい、あの川原で聞いた声だった。

女の子にしては少しハスキーな、ミストがかかったような声。

あの声で、

「ミズタニくんも私のこと、馬鹿にしてるんでしょ？」

と悲しげにたずねたことがあった。

そういえば訛りがなく話す女の子は当時、コウスケのまわりには彼女しかいなかった。

そのとき自分が何と返事したのか、コウスケはまったく覚えていない。

きっと「ううん」とか、「別に」とか、曖昧に答えたことだろう。

そして両手でコウスケの手を握ってほほ笑んだ。

はるなはきれいな字でコウスケの名前を書き、あっと言う間に自分のサインをした。

その行為は誰のときとも少しも違うこともなく、まったく同じだった。

コウスケがぼんやりしている間に次に並んでいる人の紙が渡され、はるなは一瞬、顔を上げて次の人にほほ笑み、その人の名前を声に出した。

またそれはサインを終えるまでの短い行為で、握手された大学生らしい男は、

「あっ、あの、これからもがんばってください」

などと上ずった声で答えていた。

「終わられた方はこちらからお帰りください」

書店員にうながされてコウスケはシンジと並んで反対側の階段を降りた。

「おまえ、本当に同級生だったの？」

そういうシンジの声を聞きながらコウスケは、

「ああ、たぶん」

と返事をした。

万人に好かれそうな顔や自信に満ちた態度はあのときとはまったく違うが、たしかにあの声は春美の声だった、と思いながら。

3

シンジはコウスケのことを「栗原はるな」に対してなんの魔法も使えない男だと見限ったらしい。

サイン会まではうるさいくらいコウスケのまわりをうろついていたシンジがまったく寄って来なくなった。

寂しいような気もするが、まあ、そんなもんだろうとも思い、コウスケは学食でひとり天麩羅（てんぷら）そばを食べていた。

自分が春美に抱いていたいろんな思いは勝手に自分だけが抱いていたものなのだから、

彼女がどう反応するかも彼女の勝手なのだ、と何度か自分に言い聞かせた。

　言い聞かせなければならない、ということは、自分はすこしは何かの期待をしていたのか、とも思う。

　もしかしたら、

「わあ、ミズタニくん、久しぶり。来てくれてありがとう、元気？」

　くらいのことは言ってもらいたかったのかもしれない。

　しかし同級生を名乗る人間もおそらく春美のまわりにはたくさん現れていたりして、もしかしたら彼女にはそういうことがすべてうっとうしいのかもしれない。

　どっちみち同級生にいい印象をもったことなど一度もないのだろうから。

　積極的に探して読むわけではないが、「栗原はるな」の記事が載っている雑誌を美容院や定食屋でたまに目にすることがあった。

　そこにはコウスケの知らない思い出の物語が書かれてあった。

　自分は転勤族の娘だったので、標準語しか話せず、和歌山弁をマスターするのに苦労したとか、文化祭の劇では主役が多かったので今度、出演するドラマには役立つのではないかとか、美しい和歌山の海岸でバドミントン部の先輩とデートしたのが初恋と言えば初恋、と書いてあったが、コウスケたちの近くは和歌山の勝浦といっても山ばかりのところで、近くには川しかなかったし、何より学校にはバドミントン部などなかった。

春美はずっと和歌山弁をしゃべろうとはしなかったし、そこがクラスに溶け込めない理由でもあったろうに頑なに標準語を通した。

それに文化祭ではたしかに劇はあったと思うが、春美が出た記憶はコウスケにはない。多分、文化祭や体育祭などのクラスの行事の日には彼女は学校に来なかったのではないか。

それを誰も気にはしなかったし、どちらにせよ誰も重要な役を彼女に与えるつもりなどなかったはずだ。

しかしきっと作られた美しい物語こそが「春美」ではなく、「はるな」にふさわしいのだろう。

それでいいではないか、とコウスケは思い、天麩羅そばの湯気に曇ったメガネを拭いてかけ直すと、視界に松倉冬香が見えた。

冬香は「栗原はるな」と比べたら今ひとつあか抜けないただの「しろうと」だが、コウスケの目には光り輝いて見える。

スカッシュが好きで、ショートカットでスポーティーなところも、何度かデートに誘ったがいつもあっさりと断ってくれるそのドライな感じも、コウスケには魅力に感じる。

とりあえず声だけはかけておきたい、と思ったコウスケは、ひとりでミルクティーを飲みながら教科書を眺めている冬香に近づいて行った。

「あら、コウスケくん」

と先に声を上げたのは冬香のほうである。

「コウスケくんって『栗原はるな』の友達って本当？　サイン会に一緒に行ったってさっきシンジが言ってたから。だけど全然、反応してくれなかったんですってね。偉くなったから気取ってるのかしら」

冬香はほほ笑んでそう言いながら、コウスケを向かいの席に座るようにうながした。

「友達っていうか、まあ同じクラスだったことがあるだけ」

「へーえ。昔からずっと可愛かったんでしょうね」

「うん。まあ」

コウスケは曖昧に答えた。

全然、冬香のほうが何倍も可愛い、と言いたいところだし、それはまったくの事実なのだが、コウスケはそういうことをうまく言うことができない。

もはや義理がないとはいえ、なんだか春美にも悪いと思うし。

「でもさ、あんなこれみよがしに胸とかひけらかしてるのっていやよね、よくやると思うわ。仕事とはいえ、同情するわ」

いつものようにあっさりと冬香は言った。

それに何らの悪気はないのだということはコウスケにもわかっていた。

しかし我知らずにコウスケは言ってしまっていたのだ。

「あれはこれみよがしとか、そんなんじゃないよ。それに彼女は今の自分が好きなんだと思うんだ」

と。

まさかコウスケが自分の言うことに逆(さか)らうとは思ってもみなかったのだろう。冬香はそれでなくても大きな目をぱっちりと見開いてしばらくコウスケの顔を見つめていた。

そしてもう口を開こうとはしなかった。

4

CMではいはるながにこにことほほ笑み、カツラ会社なのだか、なんなのだか、ここに電話してね、などとあのハスキーな声で明るく言っている。

コウスケといえば、勉強もはかどらないし、あれ以来、冬香のこともさっぱりだめだし、他に好きな子ができるわけでも宝くじが当たるわけでもなく、いつもどおりといえばいつもどおりのパッとしない日々が続いている。

冬香のことは最初からまったく脈がなかったのだけれど、あのとき「栗原はるな」を思わずかばってしまったことによって海で沈みそうな自分はワラではなくて鉄クズにつかまってしまったのだ、と思う。

あいかわらず仕送りは少ないし、バイトはほとんどみつからない。

しかしそれでもせめてコーヒーはインスタントではなくドリップするのだ、と深夜、コウスケはフィルターの上にお湯をまわしながら注いだ。

「ハハハ、そんなんじゃないですよぉー」

テレビからは聞き覚えのある声が流れて来た。

春美の、いや「栗原はるな」の声だ。

売れっ子漫才コンビが司会のトークショーに出ているらしい。

コウスケは「栗原はるな」がでている番組を「知り合いがでている」という気持ちでは絶対に見ないし、今ではもう「かつて知っていた人がでている」とも思わなくなった。「はるな」はかつて自分が「春美」だったことも忘れているだろうし、今の知り合いこそが自分の知り合いで、「春美」時代に持っていたものは何ひとつ彼女を幸福にはしなかっただろうから。

それは自分の存在もそうなのだ、とコウスケは思った。

そこには「腹が立つ」という感情も「寂しい」という思いも何もなく、その気持ちはわからないではない、という共感だけがある。

かつての春美には悲しいことがあり過ぎた。

「そうですね。ありますよ」

どうやら初恋の話らしい。

きっと「栗原はるな」は創作した話をドラマチックに明るく語るのだろう。

バドミントン部の先輩の話や美しい勝浦の海の話などを。

「栗原はるな」の少女時代は人気者であることこそがふさわしい。

いつもはブラックで飲むコウスケだったが、深夜だったのでミルクでも入れようと、牛乳パックを冷蔵庫から取り出した。

「へえ。そんなんやったらはるなちゃんのファースト・キスなんかドラマチックやねんやろうな」

テレビからの声は続いている。

「ドラマチックじゃないです。私、いじめられっこだったし」

はるなの声にコウスケはスプーンを動かす手を止めた。

心なしかテレビの中の会場も静かになったように思える。

「またまた、そんなこというて。そんな可愛い顔してそんなにナイスバディやったら人気者に決まってるがな。まあ、女の子に嫉妬(しっと)されることはあるかもしれへんけどな」

フォローしようと司会の漫才師が大きな声を出したが、はるなはためらうふうでもなくまっすぐ前を見ていた。

「ファースト・キスは相手がいやがってるのに、私から無理やりしました」

「ええーっ、はるなちゃんからチューッて行ったん？」

「ええ。なんてこともない川原で。私は彼が大好きだったんですけど、向こうは友達としか思っていなかったみたいでなんか驚いたみたいで突き飛ばされちゃって。おまけにそれから避けられるようになっちゃって」

　コウスケはじぃっとブラウン管を凝視（ぎょうし）していた。

「こんな可愛い女の子を突き飛ばすって、なんちゅうやっちゃ。しかしそいつ、もったいないことしたと後悔してるやろなあ」

　相方の漫才師が笑いながら言った。

「そんなことないですよ。私、いじけていて嫌われ者でしたから。でもその人だけは優しくて親切だったんです。別に何を言うわけでもなくて励（はげ）ましてくれているみたいで。ただその親切がただの同情だったら私の気持ちは余計にみじめだなあ、とずーっと悩んでました。だけど会いたかったから川原で待ってたりしてましたよ」

　そう言ってはるなは屈託（くったく）なく笑った。

「へえ、待ち伏せしてたんや」

「うん。待ち伏せかなあ、だって会いたかったもん。でもね、その人、このあいだ、銀座であった私のサイン会、来てくれたんですよ。すごくうれしかった」

コウスケは驚いてしばらく動くことができなかった。

そして自分は春美の恋心などにはさっぱり気がつかなかった、と思ったあと、いやもしかしたら気がついていたのかもしれない、とも思った。

そしてもしそれに気がついたりしたら、クラスの中での自分の立場というものが危うくなる、と思ったのだ、と気づいた。

当時、クラス中からいじめられていた春美と仲がいいと思われるのが自分はいやだったのだ、と。

そしてそのことも春美は知っていたのだ、と。

春美の切なげで悲しそうな感じは、家庭が複雑だとかクラスに溶け込めていないとか、そういうことだけでは醸し出されるものではなかったのだ。

いかにも親切そうに近づきながら、彼女が少しでも距離を詰めようとすることを許さない小心な中学生の自分。

だから最後に春美はあんな形でキスをしたのだ。

「えっ、ほんでほんではるなちゃん、久しぶりに初恋の彼に会ってどうやった？　彼は変わってた？」

「全然、変わってなかったです。相変わらず優しそうでした」

「はるな」ではなく、「春美」がテレビに出ている。

少し胸を張っているようにも思える。

そうか、俺は優しそうだったのか、とコウスケは息をついた。

自分は「優しく」はなく、いつも「優しそう」にしか過ぎないのだ。

いつのまにか画面はアイドルグループの歌に変わっていた。

コウスケはようやくいれたコーヒーに口をつけた。

少しぬるくなっている。

テーブルのうえの携帯電話が鳴り出した。

小窓にシンジの名前が表示されている。

コウスケは出なかった。

いろいろ言われるのがいやだったからである。

地味でなんの取り柄もなかった自分のモノクロの少年時代を勝手にカラーにされたくはなかった。

電話はその後もずっと鳴り続けていたが、やはりコウスケは出なかった。

やっと切れたと思ったのに時間を置かずにまた携帯電話が鳴った。

小窓には松倉冬香の名前が表示された。

コウスケはやはりそれには出ないことにして、コーヒーを飲んだ。

冬香は果たしてそれほど魅力的な女の子だったのだろうか、と何度も冬香の顔を思い出そうとしたが、すぐにぼんやりとしてしまってわからなくなる。

中学生の時の春美の嬉しそうな笑顔だけがよみがえってくる。

自分を見るとあんなに素直に嬉しそうな顔をしてくれる女の子がこれから果たして現れるのだろうか、とコウスケはぼんやりした頭でなおも考え続けていた。

蠅

横光利一

横光利一（よこみつ・りいち）

一八九八年、福島県生まれ。一九四七年没。早稲田大学中退。「文章世界」等へ投稿を始め、富ノ沢麟太郎、中山義秀らとの同人雑誌「街」「塔」を発行。菊池寛に認められ、一九二三年に「日輪」「蠅」を同時発表。二四年、川端康成・片岡鉄兵らと「文藝時代」を創刊し、新感覚派として活動。『日輪』『御身』『紋章』『春は馬車に乗って』『機械』他著作多数。

一

真夏の宿場は空虚であった。ただ眼の大きな一疋の蠅だけは、薄暗い厩の隅の蜘蛛の巣にひっかかると、後肢で網を跳ねつつ暫くぶらぶらと揺れていた。と、豆のようにぼたりと落ちた。そうして、馬糞の重みに斜めに突き立っている藁の端から、裸体にされた馬の背中まで這い上った。

二

馬は一条の枯草を奥歯にひっ掛けたまま、猫背の老いた馭者の姿を捜している。

馭者は宿場の横の饅頭屋の店頭で、将棋を三番さして負け通した。

「何に？　文句をいうな。もう一番じゃ。」

すると、廂を脱れた日の光は、彼の腰から、円い荷物のような猫背の上へ乗りかかって来た。

三

宿場の空虚な場庭へ一人の農婦が馳けつけた。彼女はこの朝早く、街に務めている息子から危篤の電報を受けとった。それから露に湿った三里の山路を馳け続けた。

「馬車はまだかのう？」

彼女は馭者部屋を覗いて呼んだが返事がない。

「馬車はまだかのう？」

歪んだ畳の上には湯飲みが一つ転っていて、中から酒色の番茶がひとり静に流れていた。農婦はうろうろと場庭を廻ると、饅頭屋の横からまた呼んだ。

「馬車はまだかの？」

「先刻出ましたぞ。」

答えたのはその家の主婦である。

「出たかのう。馬車はもう出ましたかのう。いつ出ましたな。もうちと早よ来ると良かったのじゃが、もう出ぬじゃろか？」

農婦は性急な泣き声でそういう中に、早や泣き出した。が、涙も拭かず、往還の中央に突き立っていてから、街の方へすたすたと歩き始めた。

「二番が出るぞ。」

猫背の駁者は将棋盤を見詰めたまま農婦にいった。農婦は歩みを停めると、くるりと向き返ってその淡い眉毛を吊り上げた。

「出るかの。直ぐ出るかの。悴が死にかけておるのじゃが、間に合わせておくれかの？」

「桂馬と来たな。」

「まアまア嬉しや。街までどれほどかかるじゃろ。いつ出しておくれるのう。」

「二番が出るわい。」と駁者はぽんと歩を打った。

「出ますかな、街までは三時間もかかりますかな。三時間はたっぷりかかりますやろ。悴が死にかけていますのじゃ、間に合せておくれかのう？」

四

野末の陽炎の中から、種蓮華を叩く音が聞えて来る。若者と娘は宿場の方へ急いで行った。娘は若者の肩の荷物へ手をかけた。

「持とう。」

「何アに。」

「重たかろうが。」

若者は黙っていかにも軽そうな容子を見せた。が、額から流れる汗は塩辛かった。

「馬車はもう出たかしら。」と娘は呟いた。

若者は荷物の下から、眼を細めて太陽を眺めると、

「ちょっと暑うなったな、まだじゃろう。」

二人は黙ってしまった。牛の鳴き声がした。

「知れたらどうしよう。」と娘はいうとちょっと泣きそうな顔をした。

種蓮華を叩く音だけが、幽かに足音のように追って来る。娘は後を向いて見て、それから若者の肩の荷物にまた手をかけた。

「私が持とう。もう肩が直ったえ。」

若者はやはり黙ってどしどしと歩き続けた。が、突然、「知れたらまた逃げるだけじゃ。」と呟いた。

五

宿場の場庭へ、母親に手を曳かれた男の子が指を銜えて這入って来た。

「お母ア、馬々。」

「ああ、馬々。」男の子は母親から手を振り切ると、厩の方へ馳けて来た。そうして二間ほど離れた場庭の中から馬を見ながら、「こりゃッ、こりゃッ。」と叫んで片足で地を打った。

馬は首を擡げて耳を立てた。男の子は馬の真似をして首を上げたが、耳が動かなかった。で、ただやたらに馬の前で顔を顰めると、再び、「こりゃッ、こりゃッ。」と叫んで地を打った。

馬は槽の手蔓に口をひっ掛けながら、またその中へ顔を隠して馬草を食った。

「お母ア、馬々。」

「ああ、馬々。」

六

「おっと、待てよ。これは悴の下駄を買うのを忘れたぞ。あ奴は西瓜が好きじゃ。西瓜を買うと、俺もあ奴も好きじゃで両得じゃ。」

田舎紳士は宿場へ着いた。彼は四十三になる。四十三年貧困と戦い続けた効あって、昨夜漸く春蚕の仲買で八百円を手に入れた。今彼の胸は未来の画策のために詰っている。けれども、昨夜銭湯へ行ったとき、八百円の札束を鞄に入れて、洗い場まで持って這入って笑われた記憶については忘れていた。

農婦は場庭の床几から立ち上ると、彼の傍へよって来た。

「馬車はいつ出るのでござんしょうな。悴が死にかかっていますので、早よ街へ行かんと死に目に逢えまい思いましてな。」

「そりゃいかん。」

「もう出るのでござんしょうな、もう出るって、さっきいわしゃったがの。」

「さアて、何しておるやらな。」

若者と娘は場庭の中へ入ってきた。農婦はまた二人の傍へ近寄った。

「馬車に乗りなさるのかな。馬車は出ませんぞな。」

「出ませんか？」と若者は訊き返した。

「出ませんの？」と娘はいった。

「もう二時間も待っていますのやが、出ませんぞな。街まで三時間かかりますやろ。もう何時になっていますかな。街へ着くと正午になりますやろか。」

「そりゃ正午や。」と田舎紳士は横からいった。農婦はくるりと彼の方をまた向いて、

「正午になりますかいな。それまでにゃ死にますやろな。正午になりますかいな。」

という中にまた泣き出した。が、直ぐ饅頭屋の店頭へ馳けて行った。

「まだかのう。馬車はまだなかなか出ぬじゃろか？」

猫背の馭者は将棋盤を枕にして仰向きになったまま、簀の子を洗っている饅頭屋の主婦の方へ頭を向けた。

「饅頭はまだ蒸さらんかいのう？」

七

馬車は何時になったら出るのであろう。宿場に集った人々の汗は乾いた。しかし、馬車は何時になったら出るのであろう。これは誰も知らない。だが、もし知り得ることの出来るものがあったとすれば、それは饅頭屋の竈の中で、漸く脹れ始めた饅頭であった。何ぜかといえば、この宿場の猫背の馭者は、まだその日、誰も手をつけない蒸し立ての饅頭に初手をつけるということが、それほどの潔癖から長い年月の間、独身で暮さねばならなかったという彼のその日その日の、最高の慰めとなっていたのであったから。

八

宿場の柱時計が十時を打った。饅頭屋の竈は湯気を立てて鳴り出した。
ザク、ザク、ザク。猫背の馭者は馬草を切った。馬は猫背の横で、水を充分飲み溜めた。ザク、ザク、ザク。

九

馬は馬車の車体に結ばれた。農婦は真先に車体の中へ乗り込むと街の方を見続けた。

「乗っとくれやア。」と猫背はいった。

五人の乗客は、傾く踏み段に気をつけて農婦の傍へ乗り始めた。

猫背の馭者は、饅頭屋の簀の子の上で、綿のように脹らんでいる饅頭を腹掛けの中へ押し込むと馭者台の上にその背を曲げた。喇叭(らっぱ)が鳴った。鞭(むち)が鳴った。

眼の大きなかの一疋の蠅は馬の腰の余肉(あまじし)の匂いの中から飛び立った。そうして、車体の屋根の上にとまり直ると、今さきに、漸く蜘蛛の網からその生命(いのち)をとり戻した身体を休めて、馬車と一緒に揺れていった。

馬車は炎天の下を走り通した。そうして並木をぬけ、長く続いた小豆畑(あずきばたけ)の横を通り、亜麻畑(あまばたけ)と桑畑の間を揺れつつ森の中へ割り込むと、緑色の森は、漸く溜った馬の額の汗に映って逆さまに揺らめいた。

十

馬車の中では、田舎紳士の饒舌が、早くも人々を五年以来の知己にした。しかし、男の子はひとり車体の柱を握って、その生々した眼で野の中を見続けた。

「お母ア、梨々。」

「ああ、梨々。」

馭者台では鞭が動き停った。農婦は田舎紳士の帯の鎖に眼をつけた。

「もう幾時ですかいな。十二時は過ぎましたかいな。街へ着くと正午過ぎになりますやろな。」

馭者台では喇叭が鳴らなくなった。そうして、腹掛けの饅頭を、今や尽く胃の腑の中へ落し込んでしまった馭者は、一層猫背を張らせて居眠り出した。その居眠りは、馬車の上から、かの眼の大きな蠅が押し黙った数段の梨畑を眺め、真夏の太陽の光りを受けて真赤に栄えた赤土の断崖を仰ぎ、突然に現れた激流を見下して、そうして、馬車が高い崖路の高低でかたかたときしみ出す音を聞いてもまだ続いた。しかし、乗客の中で、その馭者の居眠りを知っていた者は、僅かにただ蠅一疋であるらしかった。蠅は車体の屋根の上から、馭者の垂れ下った半白の頭に飛び移り、それから、濡れた馬の背中に留って汗を舐めた。

馬車は崖の頂上へさしかかった。馬は前方に現れた目匿しの中の路に従って柔順に曲り始めた。しかし、そのとき、彼は自分の胴と、車体の幅とを考えることは出来なかった。一つの車輪が路から外れた。突然、馬は車体に引かれて突き立った。瞬間、蠅は飛び上った。と、車体と一緒に崖の下へ墜落して行く放埓な馬の腹が眼についた。そうして、人馬の悲鳴が高く一声発せられると、河原の上では、圧し重なった人と馬と板片との塊りが、沈黙したまま動かなかった。が、眼の大きな蠅は、今や完全に休まったその羽根に力を籠めて、ただひとり、悠々と青空の中を飛んでいった。

最後の伝令

筒井康隆

筒井康隆（つつい・やすたか）

一九三四年、大阪府生まれ。同志社大学卒。六〇年、SF同人誌「NULL」創刊。八一年『虚人たち』で泉鏡花文学賞、八七年『夢の木坂分岐点』で谷崎潤一郎賞、八九年「ヨッパ谷への降下」で川端康成文学賞、九二年『朝のガスパール』で日本SF大賞、二〇〇〇年『わたしのグランパ』で読売文学賞、一七年『モナドの領域』で毎日芸術賞受賞。〇二年紫綬褒章受章。他受賞歴・著作多数。

干涸びた熱帯雨林とでも形容すべき様子だった。事務室の中は荒廃していた。その事務室は四周と天井と床が打ちっぱなしのコンクリートで強固に作られていた。その床と天井を突き破って無数の細い樹木が室内に直立していた。灰色のコンクリートを背景にして数百本に及ぶ枝のない樹木は黒かった。裏罫みたいな太い直線がさまざまな間隔で部屋いっぱいに繁殖していた。

「どこにいるの」と、おれは叫んだ。おれを電話で呼んだ事務長がどこかにいる筈だった。

「ここだここだ。いちばん奥の右側だ」比較的樹木の少い壁ぎわに机やＯＡ機器類を移し、事務長はたったひとりでその前に腰かけていた。

鉄扉を閉めると反響で黒い樹木がゴムのように顫えた。

「なんてことだ」

「ひどいもんだろ」笑った。「もう末期なんだよ。だけど『存在』はこれに気がついていない」

「じゃあ、なぜ連絡してやらないんだよ」

「電話もファックスもつながらない」事務長は色の白い細い腕を機器類にひと振りした。

「知ってるだろうが、この辺から中枢部までの回線は非常に少い。どこかで故障したらもう駄目でね」

そんな必要もないのにおれは声をひそめた。「あのう、肝硬変かいやっぱり」

「ラエンネック型のな」

「そうか」おれは背をそらせた。「情報将校のおれを呼んだってのはつまり」

「直接伝令に立ってほしい。たくさんの情報かかえて走れるやつ、他にいないんだ」

「だって、警告すりゃいいだけだろうが。肝臓の機能検査受けろって」

事務長は立ちあがった。周囲の樹木と見わけがつかないくらいに痩せた長身をもてあましていた。しばらく歩きまわったあと、勢いよく振り返っておれを見つめた。綺麗な瞳と恰好のいい口髭はチョコレート色をしていた。「もう、そんな段階じゃないんだ。いつ意識が混濁して昏睡状態に入っても不思議ではない」

おれはうろたえた。「えっ。えっ。だってまだ吐血やなんか、一度もやってないんだろうが」全身が顫えはじめた。「まだ『存在』が気づくほどの症状、何も出てないんだろうが」

「これを見ろ」事務長はコンソールのキイを叩き、ディスプレイにモニター画面を呼び出した。「腹腔だ。これだけ腹水が溜まってるのに『存在』は検査に行かない。医者嫌いだからな。全身衰弱してるし、何度か貧血も起してる。症状は出すぎるほど出てるんだ。これを見ろ。『メデュサの首』だ。それから、これを見ろ。食道のいちばん下の端の静脈だ。いつ破れるかわからん。もう大量吐血まであと時間の問題なんだよね」そしてまた笑った。

　さっきからの彼の笑いがヒステリー寸前の笑いであることにおれは気づいた。

「お陀仏かあ」いく通りもの想念が浮かび、ただちに起すべき筈の行動が思い浮かばない。「おれ、まだ結婚したばかりなんだよなあ」

「おれだってそうさ」

「あのさあ、もう逢えないかもしれないんだけど、いちど家に引っ返して彼女に別れを告げてる時間なんてものは」事務長の表情をうかがい、おれはあきらめた。「ないんだろうね」

「ないな」事務長は椅子に戻った。「お前さあ、優秀な情報細胞としての誇りを持てよな」

　巨大な黒い繊維質二、三本の間を縫うようにして歩きまわった後、おれは立ちどまった。「で、どうやって行くの」

「門脈に沿って遡行しろ。途中の状態を見ながら情報を蓄えていってくれ。別に大脳司令部まで行く必要はない。延髄末端の、十二番街まで行きゃいいんだから」

「ああ。メリーさんの家だね」

事務長は顎で部屋のひと隅をさした。「あそこの小さなドアから出れば小葉間静脈沿線の高速鉄道だ。あれでランゲルハンス群島のひとつに出られる。まずあの辺の様子を確かめていってくれ」

「わかった」

事務長が名残り惜しげだった。立ち去りかけて振り返り、別れを言おうとしておれは彼に一歩近づいた。事務長はゆっくりと立ちあがった。

そのままだと抱きあっていたかもしれない。しかし、もはや戦争だった。伝令が命令者といちいち今生の別れを惜しむべきではない。

おれは彼に背を向けた。地下鉄の駅に出るドアの場所は記憶にあったが、なかなか見あたらなかった。繊維質の密生したうしろに見つけ、ドアの前の二、三本を力まかせにへし折り、おれはドアを開けた。

肝機能制御室を、おれは振り返った。「じゃあ、ここ、できるだけもちこたえてくれよ」声が反響した。

黒いジャングルの彼方から声が返ってきた。「言うには及ばん」

「ここ、ずっとあんたひとりなの」

「全員出はらってな。戻ってくるかどうか」

ドアを閉めた。プラットホームは無人で、ひんやりとしていた。以前ここで聞いたことのあるのべつまくなしの轟音はずいぶん小さくなっていた。血流障害が起っていることはあきらかだ。

駅も荒れ果てていた。ドーム型の大天井からは腹水らしい液がしたたり、多くのベンチは壊れ、壁のポスターはほとんど破れて切れ端しか残っていず、屑篭の中のコーラの空缶その他は埃まみれでもう何カ月も前からそのままのようだった。壁ぎわに大便と塵紙が落ちていた。異臭がした。地方の沿線がこんなにさびれ、中央のターミナルなどがひどく混雑しているという状態がそもそも末期的症状だ。

自動運転の地下高速が五輛連結で入ってきた。三輛めに乗ると十数人いる乗客の半数近くが浮浪者じみた老人と若者だった。蛍光灯がまたたいていて車内は暗かった。顔見知りの事務員がいたので声をかけながら隣りに腰をかけた。「やあ」

「あんたか」きちんと背広を着たその男は眼を丸くしていた。「ひどいなこの辺の地下鉄は。あんた、膵臓へ行くのかい」

「そうだよ。非常事態でさ」肝硬変のことを言いかけ、おれは訊ねた。「あんたの方には何か連絡入ってるの」

「実は」声をひそめた。「血液中の蛋白質が減ってる。特にアルブミンがひどい。それに『存在』は黄疸を起している。軽いから気づいてないけど」

言うまでもなかった。皆が気づいているようだった。「やっぱりそうか」おれは動き出した電車ののろさにちょっと苛立ちながら言った。「当然顔なんかも浮腫んでる筈だけど、それでも気づかないいんだな」

「呑むからねえ。会社で重要な仕事がまわってこなくなって以来だけど、最近は一日にダルマ三分の二だぜ」

「アルコールはまだいいんだよ。ものを食わんのがいかんのよ。たまに食えば肉だろ。昭和二十年生まれってのはなぜか肉が好きでさ」

「やっぱり栄養の欠陥か。脂肪ってのはいちばんよくないんだよな。蛋白質、とってほしいよなあ」

「ビタミンもな」おれは車内吊りのポスターを見あげ、やっと気がついた。「ははあ。この地下鉄、ニューヨークへ出張したときに乗ったあれだな」

「あの出張も失敗だったな。英会話がさんざんで」

「あれで味噌をつけたんだ」

おれたちはうなずきあった。

事務員は口惜しげに自分の足もとを見て言った。「突然用を言いつかってこれに乗ったんだけど、おれ、死ぬまでに一回でいいから赤い靴下はいて地下鉄に乗りたかったたんだよな」彼は黒い靴下をはいていた。「ところでさ、あそこのああいう健康な若者に仕事がないってどういうこと。あの爺さんたちだってまだまだ働けそうだしさ」

「この辺、新陳代謝がうまくいってないいんだろうなあ」

「司令部、何やってるんだろ」

「いろいろ難しいこと、あるんじゃないの。司令部の中には家族関係優先、なんてやつもいるらしいしさ」

「だって死んじまったらどうにもなるまいに。あっ」立ちあがった。

十二指腸への乗換え駅だった。

「じゃ失敬。おれ、ファーテル乳頭へ行くから」

「頑張って」と、おれは言った。「あそこ、消化管全体でいっとう重要なとこだから」

「うん。じゃあな」

ひとりになると予想していた通り、おれのピンクの制服をさっきから羨ましげに見て笑いながらささやきかわしていた四人づれの若者がやってきて二人は両隣りに腰かけ二人は前に立った。「よう。おっさん」

ほかの乗客たちがいっせいにあらぬ方を眺めた。

「この服、おれのととっかえてくれねえかな」右隣りのやつがおれの袖をつまみ、つんつんと引いた。

「おれにかまわないでほしいんだがね。重要な仕事があってさ」そう言ってすぐ言いかたの誤りに気がついた。

「ほう。重要人物ってわけだ」前に立ったふたりの眼が自分たちの未来を見て暗くなった。「この地下鉄の中じゃおれたちの方が重要人物なんだってこと思い知らせてやろうか」

「よせよおい」おれは真剣な表情を作った。「気がついてるだろ。『存在』が死にかけてるんだ」

「世界の終りなんだろ」左隣りが笑った。「おっさんがその鍵を握ってるんだよな。そうかそうか。じゃ、世界の終りをおれたちが早くしてやろうじゃないの」

いっせいに笑った。

「世界情勢なんておれたちに関係ねえよなあ」

「どうせおれたちは死ぬまで」

ランゲルハンス駅が近づいていた。おれは勢いよく立ちあがった。四人は通路でおれの四周をとりかこんだ。おれは口を尖らせた。

キツツキという鳥が機関銃のような早さで堅い木の幹を嘴で叩いても脳震盪を起さないのは脳が強固に保護されているからであり、おれも将校用の武器として固い口吻と保護された脳をあたえられていた。たった三回タタタと胸を突いただけでおれの正面にいた若者はあっけなく破裂した。あとの三人がうしろの車輛へとんで逃げた。若者の体液を上半身に浴びたが透明だったし、いずれは吸収してしまえる。

　改修中のランゲルハンス駅構内では数人の工事夫が天井のパイプから流れ落ちるインシュリンにまみれて足場の上で働いていた。地下三階から階段をあがると地上はひとコマまんがの無人島のような海にかこまれた岩盤の島であり、椰子の木のかわりに四角いコンクリートの地下鉄への入口があるだけだ。四周には点点とランゲルハンス群島の島嶼が見渡せた。タグボートほどの大きさの船が一隻まっすぐにこちらへ近づきつつあった。船長然とした身装りの男がひとり乗っているだけだった。

「連絡があったから迎えにきただよ」岩の岸壁に船を横づけしてその初老の男が言った。

「乗ってくれ」

「ありがとう船長」甲板に移りながらおれは言い、彼の表情で「船長」と呼ぶのが正しいことを知った。「この辺の様子はどうだい」

「この空の色を見りゃあわかるだろうに」船をUターンさせながら船長は顎で血の色をした空をさし、帽子をとって丸刈りの胡麻塩頭をがりがりと掻いた。「ひでえ鬱血でな。液の溜まりかたも早くなってきてるだよ」

「この船は今、どっちに向かってるの」

「西だよ。いや。西も東もねえか。膵尾の方だよ。脾臓へ行くんだろ」

「うん」脾臓にある脾柱（ひちゅう）ビルの中継センターからとりあえず肝機能制御室に報告しておこう、などと思う。

風はなま臭かった。温暖で、なんとなく息苦しい。操舵（そうだ）室の中の無線通話機からは遠く離れたところで発している指令や応答が途切れとぎれに聞こえてきた。「肛門（こうもん）附近に敵。肛門附近に敵」下痢ばかりしているので切れ痔（じ）から雑菌か何かが侵入してきたに違いない。

赤い空に向かって突き刺さっている高層ビルの群れが靄（もや）の中から見えてきた時、艫（へさき）にすわっているおれの耳には巨大な滝のようなくぐもった轟音が次第に近づいてくるよう感じられた。振り返ると海面がふくれあがっていた。

「あの津波みたいなやつは何だい」

大声で訊ねると船長は膨張する海をひと眼見て一瞬憧憬（どうけい）の表情をしてからのけぞり、エンジンの出力を大あわてで全開にしながら泣きわめいた。「こうなることはわかってただ。ちくしょう。一リットルはあるだ。おらたちは死ぬだ。一昨夜『存在』さまあ高校生の息子と小遣いのことで口喧嘩（くちげんか）して負けただ。奥さんも息子に味方しただ。それで昨夜は家へ帰るのが面白くねえっていうんで行きつけのスタンド・バーへ寄っただ。浴びるほど呑んだに違（ちげ）えねえだよ。何も食わずにな。おらたちはあのねとねとの淋巴（りんぱ）液に襲われて窒息するか溺（おぼ）れるかしてお陀仏になるだよ」

今ごろになってやっと無線機が「津波警報」などと叫んでいる。波濤に押しあげられて船はななめの宙天へと発進するかの如く上昇した。気分が悪くなった。あいかわらず何ごとかわめき散らしながら船長が半狂乱の様子で舵をあやつった。前方の高層ビル群が接近してきた。溺れるのではあるまい。手摺りにくくりつけられたブイにしがみつきながらおれはそう思った。陸地に乗りあげてどこかへ叩きつけられるのだ。そして破裂するのだ。

　船長の操舵は名人芸といえた。へらへらと踊る怪物の舌端のような波がしらに乗ってその先端から飛び出しもせず呑み込まれもせず、今や水平にひたすら波止場へと船は直進していた。おれは吐いた。

　うちあげられた時に意識を失わなかったことがおれの命を救った。淋巴液の中で幾たびも宙がえりさせられたが眼をまわすこともなく排水溝の底に叩きつけられ、波が退く時にはしっかり両腕をのばして突っぱり、さらわれないようにしたのだった。船や船長がどうなったかついにわからずじまいだった。立ちあがるとそこは港湾都市の中心部と思える場所で高層ビルの谷間、様変わりしているためしばらくはどこにいるのか判断することができなかった。誰もいなかった。街路のあちこちで車が顛覆し、街路樹が倒れていた。一面にダンボールの箱が散乱していた。

　脾柱ビルはすぐ近くだったが玄関の自動ドアはガラスが割れて散らばり、ロビーも事務室も無人だった。エレベーターが動いたので五階に昇ると中継センターも無人だった。いっせいに避難したのだろうが、通常これほどみごとな撤退は幾たびもの訓練をすることなしにあり得ない。危機感は全員がつのらせていたようだ。広い事務室内に規則正しく配置された各デスクの上でOA機器のモニターやディスプレイの輝く画面が脾臓や周辺各地の状況を数字で映し出していたが、肝機能制御室へは電話もファクシミリも通じなかった。おれはコンピューターの通信機能がもとに戻ればすぐ届くようそれまでの見聞を報告書にして電子メールに打ちこんだ。

　五階にはモノレールの駅もあったがやはり無人で、三輛連結の車輛が停まっていた。それはコンピューターに制御されている自動運転のモノレールで、動くかどうかわからなかったが他に乗物もないのでおれは中央の車輛に乗りこんだ。動いたとしても津波で軌道のどこかが落ちているかもしれず、いささか物騒だった。胃の噴門に向かうようだった。今さら上昇をいそいでもしかたがないように思えたし、胃の噴門部には逢いたい人もいる。発車時刻になるとドアは勝手に閉まり、車輛はビルの間を縫って都市の宙空を走りはじめた。シートに腰かけたその膝まである大きな曲面ガラスの窓越しに、二度、三度と押し寄せた津波で何もかも流されてしまった都市の街路が見おろせた。しかしモノレールはすぐ都市を出はずれて弾性繊維や平滑筋繊維の密林に分け入った。非常にうす汚れた色の密林は疲弊した様子だった。その密林を抜け出ると前方に腹壁があった。

メデュサの首がまっ赤だった。鬱血した血液がなんとかして心臓に戻ろうとしている典型的な姿であり、拡張した静脈が毛髪のようにくねっていた。おれは胃がおかしくなり、次いで心臓がおかしくなった。さらに近づくとザイルで腹壁にとりついた登山用装備の数百人が今やなかばは無駄と知りながらさらに副行路を開こうとして涙ぐましい作業にとり組んでいる姿が見えてきた。モノレールは弧を描いて彼らの姿を片側に見、腹壁内部を小湾に向かった。

小湾の海岸にある松林は赤くなっていた。枯木になったのもあり、あちこちで葉のひとかたまりがうす茶色になっていて、それが全体を赤く見せていた。松林からは源作爺さんが出てきて海面を突堤のようにのびているモノレールの終着駅へと歩いてきた。おれが来ることを何かで知り、迎えにきたようだ。さっきの電子メールを傍受したのかもしれなかった。

「ご隠居さまがお待ちでございます」プラットホームから砂浜へおりたおれに馬鹿ていねいな一礼をして爺さんが言った。

おれは故郷に戻ったような気になった。消息を訊ねたいひとの名は口にできなかった。

「松が枯れてきたな」

「はい。最近の『存在』さまの故郷の海岸に似た情景でございます。ただしあちらの松が枯れたのは排気ガスが原因、こちらの原因と申しますのは食品添加物、農薬、放射性物質でございまして」松林の奥へとおれを案内しながら爺さんはそう言った。

「ろくなものを食べないからなあ」

「と申しますよりも、その方がお口にあい、他のものなどよりもずいぶん美味いとお感じになりますようで」源作爺さんは時代劇の老剣士の如き虚無的な笑いを見せた。「そのかわりに十二指腸虫や蛔虫がいなくなったのもまさにそうした食品添加物、農薬、放射性物質のせいだとか。先達て十二指腸村の熊八がそう言っておりました」

「そうか。昔は寄生虫がいたんだ」

「子供の頃はうようよでございましたな。さほどの田舎ではなかったにもかかわらず、便所もまだ汲取式でした」

　松林のはずれには彼方の皺襞山を借景にした庭園があり、数寄屋造りの家屋が建っていた。

「ご隠居さまは離れでございます」源作爺さんは枝折戸から中へ入らず、おれを見送った。

　針金のような槙や紅葉の植わった庭を飛び石づたいにひどく離れた離れへ向かう。池の中には鯉はいず、わけのわからぬ赤い鞭毛動物が繁殖していた。離れの茶室に、ご隠居は作務衣姿でひとりだった。ガストリンの冷酒を呑んでいた。

「そんな顔をするな。お松さんなら、すぐ来る」

「お元気そうで」

「顔色がいいのは酒のせいじゃ。まあ、あがって呑みなさい」

縁側からにじりあがってご隠居の前に横ずわりをし、おれは言った。「あまりゆっくりもしていられないのですが」

「わかっておる。どんどんよくない方向へ進行しておるからな。今は会議中で、発言の機会をあたえられぬままに、ただ非難いや味を耐えておるよ。見なさい。痙攣しておろうが」

茶室の鶯色をした壁が変色し、引き攣っていた。茶室は荒廃していた。寒山拾得を描いたらしい床の間の掛け軸は煤け、天井からは折れた桟が垂れていた。壁の二カ所には赤黒く凝固した血が盛りあがりを見せていた。

「この壁は胃壁のシミュレーションですか」

「モニターでもあるが実際の胃壁でもある。このふたつのかさぶたは去年胃にふたつ穴があいて一カ月入院治療した際にできたものでな。胃カメラによって穴は塞がったと判断されておるが、なあにこうして表面にかさぶたができておるだけで、これがぽろり剝落すればすぐに下から穴が顔を出す」ご隠居が盃の強い酒を壁にひっかけると、かさぶたが溶けて流れ出した。「肉体性の無視というのがこの年代の特徴でな」

「つまり頑張ったわけでしょう。敗戦という遺産を相続して頑張って、昭和が終ると同時に死のうとしてるわけだ」

「昭和というのは敗戦までじゃろ。そのあとは昭和ではなく、戦後ということになる。どのジャンルでも昭和史と戦後史の書きわけが必要でな」

「では『存在』は『戦後』という固有名をとると消え失せてしまう存在だったのですか」

「ぴったし、この『存在』がそうだったのじゃよ。特に日本的なポスト・モダン状況になって以来のことじゃが、最近の若手の部下からの、その生の形態に対する嘲笑のされ様はどうじゃ。もう死んでもええと思うておるよ」

「そう言えばご隠居は昔、月光仮面であられたとか」

「そうじゃった」ご隠居は背すじをのばし、うるんだ眼で眼前の宙を見据えた。「忘れておった。実はこのわしは昔、なんと、月光仮面であったのじゃ」

あの頃はどの部署においても月光仮面が出現したものだった。月光仮面の総動員令というものが出たこともある。おれがまだ子供の頃だ。

ご隠居が鼻息荒くして立ちあがりかけ、急に思いなおしてまた尻を据えた。やさしく懐かしい香りがし、おれは心弾ませて振り返った。縁側に和服姿のお松さんが来ていたのだった。美しいものを見るとすぐに突き出る口吻を鎮めようとしながら、おれは「存在」とイメージを共有する理想化された初恋のひとに向きなおった。

「胃底に行っておりましたもので」彼女の額はうっすらと汗ばんでいた。血色がよかった。きりっとした眉に悲愴感があった。

「お久し振りです」

「お懐かしうございます」

「ま、ま、ま」ご隠居が立ちあがりながら、顔と顔をじっと見つめあうおれたちに照れたような口ぶりで言った。

「まだ時間はある。ま、そのう、あると思えばある。ゆっくりしていきなさい」渡り廊下へとご隠居は去った。

しかし、時間はないのだ。ご隠居がいかにおれたちを月光仮面的に気づかい、今生の別れにゆっくりと結び合わせてやりたいと思っていても残りの時間が僅かであることに変りはない。そして、しかしそうした切迫感はわれわれの官能性を過剰にしていた。松風が漂ってきて、離れの障子は開け放されていて、欲望は刺戟を受けた。互いにあれからどうしていたかを問い質していることさえできなかった。眼と眼の深いところで合意に達し、おれたちは抱きあった。お松さんの和服の裾が乱れた。白足袋の上から白い膝までが露出して畳を擦った。しかし内部からと言うべきか外部からと言うべきか抑止力はやっぱり働き、お松さんの懐中のポケットベルがそれ故に一種の衝撃力を持つひよわな音でひよひよと鳴った。

「やっぱり」お松さんは立ちあがって着くずれをなおした。「出血したようです」

「胃底ですか。さっきはなんともなかったのでしょう」

「さっき見た穿孔は粘膜層どまりでした。でも、胃には五秒で穴があきます。丸新との取引きの不調を詰問されたのですわ」

強い疼痛を示す小さな地震の中、源作爺さんが庭さきにあらわれ、忍びのように片膝ついてお松さんに言った。「お出ましを」

「ああ。もうお眼にかかれないかも」絶望的にのけぞり、軽く地だんだを踏むような様子を見せてお松さんは庭におりた。

「この先、もう何が起ってもおかしくないですね」おれも庭におり、駈けはじめたふたりのあとについて走りながら言った。「会議中とあればどうせ痛みなど訴えないだろうから、病院へも行かないだろうし」

「胃だけのことと思っています」お松さんは市街地との間にある迷走神経の流れのほとりでおれを振り返った。「ここで失礼します。あなた、道はおわかりですね。あっちが食道街のセンターです」

「以前来ましたのでわかります」

別れのひとことを考える時間すらなく、源作爺さんとお松さんは流れの上を自律神経に乗って矢のように去り、おれは流れの彼方の胃小区へと跳躍した。さらば。「存在」

十九歳の時の純愛が純愛に終ったように、それゆえにこそというべきか、かの歳上のひとそっくりのお松さんとも結ばれぬままになってしまった。若い頃の「存在」を可愛がってくれた故営業部長そっくりのご隠居にも礼を言うことができなかった。四十歳台で死ぬということは何もかも中途半端のままで死ぬということか。ひやあ。今「存在」を殺しちゃならねえという切迫感が胸にどす、と、あらためておれを襲うのだ。

食道下端にある噴門括約筋のゲートは閉じられていた。あたりには悪臭が立ちこめていた。門前のさびれた公設市場でまだ店を開いている数人の商店主がゲート前で立ち話をしていた。

「この辺はどんな様子なの」延髄閉鎖部へ行く他のルートを考えながらおれは彼らに訊ねた。

「ここしばらく、誰も通らないよ」無精髭を生やしている、「存在」の父親によく似た顔つきの男がそう言った。

「ここしばらく、何ものどを通していないということだな。ここ、開かないの」

「何か食って消化不良でも起してくれていたら、この臭いやつが口臭とかげっぷとかになって出ていくために開きっぱなしなんだけどねえ」

臭い口でそう言う男の顔をおれはぼんやり見つめた。口の臭いのは父親ゆずりなのだ。食わぬ時は酒ばかり。食う時はどか食いで消化不良。世代こそ違え性格が似ていると食生活も同じになるのだろう。

「脊髄か延髄へ行きたいんだがね。頸神経か胸神経の末端がこの辺にないか」

「急ぐんだろうねえ」おれの服装を眺めながら彼らは気の毒だという表情をした。

「当然だろ」

「あるけど、この辺のは末端すぎるなあ。やっぱり食道街のセンター・ビルからエレベーターに乗った方が早いよ」

「だけど、ここが開かないんじゃあ」

「センター・ビルの地階に通じるチューブがあるよ。圧搾空気のチューブだが」

「その圧搾空気って、臭いんだろうね」

「そりゃ、げっぷの残りを利用しているんだから、どうせ臭い」

「しかたがないな」

口臭のある親爺について彼の店へと商店街を歩く。近くにスーパー・マーケットでもできたためか商店街には人通りがなく、犬が吠えていた。

親爺の店は刃物の専門店で、そもそもひっきりなしに客が来るという店ではない。彼は庖丁を並べたガラス・ケースをずらし、壁についている丸い気閘用の鉄蓋を、中央のハンドルをまわして開いた。直径一メートルの空洞から悪臭が噴出し、穴の少し彼方で停止していた白いカプセルがゆっくりとやってきた。

「あっちへ電話しといてやるよ」おれが頭からすべりこんだカプセルを足もとで閉じながら親爺は言った。

　白いプラスチックのカプセル内はちょうどおれの身長と同じ大きさだったが、プスという大音響とともにカプセルが射出されるとおれは後方へ圧しつけられて足の骨を折りそうになった。到着までの時間はほんの数秒だったが、しばらくは誰もカプセルを開けてくれなかったのでおれはやきもきした。親爺の電話が通じていなかったらおれはカプセルの中で野たれ死にすることになる。

　カプセルを開け、気閘から出してくれた若い男はセンター・ビルの配送係で、地下へ出ると広い構内には同じ作業着を着て似たような若い男が大勢いた。ここは荷物が多くて忙がしそうだったが、彼らの仕事ぶりはなんとなく投げやりに見えた。アルバイトの連中かもしれなかった。人手不足のためしかたなく「存在」が現場で使役することもあるアルバイトの者たちへの苛立ちや屈託やわだかまりが滞留する場所としては、胸のあたりのここ以外なさそうに思えるからだ。

　構内の隅にある三基のエレベーターはいずれも上階へ行ったままで、なかなか降りてこなかった。最上階の第一頸髄まで四十階近くもあるから、昇降に時間がかかるのだろう。やっと中央のドアが開くと中は無人だった。ケージの奥には、以前乗った時にはなかったケージの天井裏に出るための鉄梯子がついていた。おれは最上階のボタンを押した。

一階からはパーティのような装いをした女たちがわいわい言いながら七、八人乗りこんできた。主に中年女だが、濃い化粧のため若いのか中年だかわからない女もいた。いずれも恐怖に心を乱しながらここを先途と遊び狂っているようで、みな胃を壊していた。ケージの中が香水と口臭でたちまち息苦しくなった。

レストラン街らしい二階からも似たような様子の男女が料理油やスパイスの匂いをさせて五、六人乗りこんできた。眼を見ひらいたまま狂気のように笑っていた。この調子で各階に停るのかと思い、おれはげっそりした。前に立った中年女の口臭に思わず顔をそむけると、女は眼をいからせて訊ねた。

「ちょっとあんた。どこまで行くのよ」

「第一頸髄ですが」

「いちばん上の階じゃないの。なら、二階へ行きなさいよ二階へ」

エレベーターの中に二階ができているとは思わなかった。混雑を避け、おれは鉄梯子をのぼってケージの二階にあがった。二階には三方に窓があったが何も見えなかった。三階、四階、五階にも停止したが、五階から三十三階までは停まらずに上昇を続けた。満員になり、二階へあがってくる男も四、五人いた。三十三階ではいったん停止し、ケージは横に移動してレールに乗った。第一胸髄への神経束レールの上を、二階建てケージは建物から出てビルの屋上をぎくしゃく揺れながら隣接する脊柱管ビルへと水平に移動した。窓からは巨大な脊柱管ビルの頂きがはるか天上へとかすんで消えているさまが見えた。ケージはその脊柱管ビルの前正中裂に入り、窓からはまた何も見えなくなった。

三十三階から最上階まで、乗降する者はやたらに多く、騒がしかった。心ここにないさまで冗談を連発したり、自己のあらんかぎりのペダントリイを駆使して難解な論理を投げつけあったり、できるだけ露骨なことばを選んで卑猥な言辞を競いあったりしていた。何もできぬ者は多幸症じみた表情でただ笑い続けていた。

第一頸髄に到着し、おれは鉄梯子をおりて最後にケージを出た。そこは前柱の周辺で、高級ブティックや喫茶などの上品な商店に囲まれた構内で群衆が右往左往していた。それらの群衆というのはどうしていいかわからぬ様子の群衆で、ひとりひとりがさまざまな行動をとり、どうすればいいかを模索していた。猫のような声で男に甘えている若い女もいれば、今さらのように女性の権利を口走って男に殴られている中年女もいた。附近はるつぼのように煮えたぎっていた。おれのように明確な目的地を持つ者は他にいなかった。

ここまでくればテレポーテーションで脊髄をいくらでも上下へ瞬時に移動でき、またそれ以外に移動の方法はないのだが、前柱の中心部にある直径二メートルのテレポート台には誰も乗ろうとしていなかった。おれは赤い円盤に乗り、思念を凝らせて延髄閉鎖部へと移動した。

黒雲の湧(わ)きかえる空があり、その下は一面オリーヴ畠(ばたけ)だった。舌下(ぜっか)神経の方からきたオリーヴ脊髄路と呼ばれている街道がオリーヴの木の間を城門の方へ走っていた。おれは樹間のテレポート台をおりて街道に出た。延髄中心部の城門までは一直線で、なだらかな下り坂になっていた。城門に向かっておれは駈けた。石造りの城門の中はやはり石造りの中世風都市で、そこは趣味の西洋史に通じるひとつの故郷、教養の原点といえた。

城門をくぐってすぐの右側が十二番街のメリーさんの家である。扉(とびら)は開け放されたままであり、入口はぽかりと黒い空洞のような口を開けたようで、飾りも何もない石造りの家全体に荒廃が感じられた。おれはしばらく入っていくのをためらい、メリーさんを混乱させうろたえさせることのないよう、ちょっと考えてから、背を丸め、揉(も)み手をしながら戸口をくぐった。

「メリーさんメリーさん。大変だたいへんだよ」

うす暗く広い室内には中央に石の寝台があり、白いドレスを着た白髪のメリーさんが蒼(あお)い顔をして仰向きに横たわっていた。

「しっ」部屋の隅でモニターを見ていた執事のイブ・モンタンが立ちあがり、あわてた様子で近づいてきた。「しっ。しっ。メリーさんは重態だ。今、眠っている。話しかけないでくれ」

「それはつまり、その、病気というのは」おれはとまどった。「本質的なものか」

「そう。彼女のせいではない。四、五日前、その埃っぽい街道を城門から入ってきたいやらしい炎症菌が四人、馬に乗って通り過ぎていった」

「では脳炎かっ」おれは額を押さえて唸った。「あの、深夜まで残業したあと吹きさらしの屋台で飲んだ晩だな。えらいことだ。どうしよう」

「大声を出すな。外で話そう」彼はおれの肩を押して戸口に出た。「緊急を要することはわかってるが、おれの連絡では上で受けつけてくれない。今、視床脳からの情報をモニターしていたんだが、会議が終ったあと、胃の痛みをこらえて会社の廊下をふらふら歩いてるんだ。倒れたらそれきりだ」

「誰かが救急車を呼ぶとか、しないのかな」

「倒れたら医者を呼ぶとかするだろうがね」

「それでは遅い」

　おれたちはぞっとして顔を見つめあった。もはや彼に肝臓がどうのこうのと教えていられる事態ではなかった。メリーさんを起せば「存在」が自分から医者を求めるだろうが、起したためにメリーさんが死ぬ危険の方が大きい。

「こうなると知っていればもっと早く手をうっていた」イブ・モンタンが自分の責任のように眼をしばたいた。「メリーさんが大丈夫だいじょうぶって言うもんだから」

「別の情報もあるんだが、こっちの方が切羽詰っているな」

「他にもまだあるのか」彼は呻いた。「これが助かっても、やっぱり駄目というわけか。なんてやる瀬ないことだ。死ぬとはな。今ごろ死ぬとはな」

「まったくだ。こんな風に死ぬんじゃ、救いがないよ」

おれのことばで彼は靴の先に落していた眼をあげ、かぶりを振った。「いや。おれの教養では、救済というものはあることになっているよ」

「しかしそれは、死なないということではないんだろう」

「そう。内部からくるものだろうがね」

「救いなんて、ないんじゃないか」

「どうして」

「だって」

執事であるイブ・モンタンはまたおれの肩を押さえこみ、顎で背後をさした。城門から一直線に丘へのびている街道の彼方に、どうやら馬に乗っているらしい人影が見えた。

「誰だろうな。こっちへ来るね」

「驀進している。あの砂埃を見ろ」

「あれが、救いというやつなのかい」おれはイブ・モンタンの表情をうかがった。

「わからないな」彼は「救い」というものの存在をあくまで信じているようだった。

「黒いマントをひるがえしているから、死神かもしれない」

「どっちにしろ、もう、メリーさんを起さなきゃしかたがないよ」泣き声が出た。「一か八かだよ。な。それしかないだろう」

おれが見つめるとイブ・モンタンは声なくうなずいた。どちらからともなく、同じような姿勢になった。背を丸め、揉み手をしながらおれたちは家に入っていった。

「メリーさんメリーさん。大変だよたいへんだ」

大根奇聞

島田荘司

島田荘司（しまだ・そうじ）

一九四八年、広島県生まれ。武蔵野美術大学卒。八一年、『占星術殺人事件』でデビューしたのち、「本格ミステリー」の旗手として精力的に作品を発表。二〇〇八年、日本ミステリー文学大賞受賞。一四年、英国の有力紙「ガーディアン」が発表した「世界の密室ミステリーベスト10」において『占星術殺人事件』が第二位に選出。『斜め屋敷の犯罪』『北の夕鶴2／3の殺人』他著作多数。

1

あれは里美が横浜にやってきてセリトス女子大に転入し、ひと月ばかりがたった、平成八年の五月のことだったと思う。ささいなことではあったが、私は、今にいたるも妙に忘れられない経験をした。これまでのような刑事事件とは様子がひと味違うので、記述に少し戸惑うようなところはあるが、ともかくいきがかりの当初から、順を追って記していこうと思う。

その日、私はまだ里美と三度目くらいの会見だった。あの頃は知り合ってほんの一年、再会したのも一年ぶりということで、お互いまだ口調もぎこちなく、私は里美によく笑われていた。話題はといえばもっぱら里美の大学のことで、それ以外といえばせいぜい横浜の街の印象についてだった。当時彼女は、まだ私の本をあまり読んではいなかったから、ほかに話題もない。例によって馬車道(ばしゃみち)の十番館でお茶を飲んで話していたら、彼方の席に、里美が知り合いの顔を見つけた。遠慮がちに大きくお辞儀をし、続いて立ちあがり、「あ、ご紹介します」とまで言ったので、いったい誰だろうと思った。

きちんとスーツを着こなした黒縁眼鏡の男性が、自分の席を離れて私たちの方にやってきていた。若い印象で、感じのよい笑みを終始浮かべて私に会釈した。年齢はたぶん私くらいであったろうか。

「石岡先生、私の大学の教授で、御名木先生」

里美が言い、

「御名木と申します」

と彼は丁寧に言った。

「御名木先生は、ミステリー研の面倒もみてくださってるんですよ。先生、こちらが石岡先生」

私もあわててお辞儀を返した。里美の大学の先生だったのだ。ずいぶん若い教授だと思った。

「あどうも、はじめまして」

私は言った。

「やぁ先生、お会いできて嬉しいです。石岡先生の本は、すべて読まさせていただいてます。いや、いつお会いできるかなぁと……」

御名木は言った。

「え、本当ですか？　それは恐縮です」

びっくりして私は言った。大学の教授のような偉い人が、私などの書く本を読んでくれているとは、これまで思ってもみなかった。

御名木は一人で読書をしていたようなのだが、席を移って私たちの席にやってきた。われわれは三人になり、しばらく雑談をした。

「お忙しいですか？」

御名木は私に訊いてきた。

「いえ、ひまです。たまに忙しくなる時はありますけど。締め切り前なんかに」

私は応える。

「今度創作のコツについて、是非ゆっくりおうかがいしたいものです」

教授は言う。

「取材させてください」

私は少なからず驚いた。

「は、コツ？　いえ……、はぁ、そんなことはもちろんいつでもいいですが、でもぼくのは創作ではないですねー、経験したことただ書いているだけで、子供の遠足の作文みたいなもので……」

私としてはいつも考えていることを口に出しただけなのだが、御名木には意表を衝いたものとみえて、彼はずいぶん笑っていた。こんなことのどこがそんなにおかしいのか、私には解らなかった。

「先生、面白いことおっしゃいますねー」

教授は言い、

「はぁ……」

と私も言って、苦笑した。

「本当、面白いんですよ、この先生！」

里美もまた、元気よく同意する。

「ねぇ、どういうとこが面白いの？」

私は小声で里美に訊いた。逐一訊いて理解しておかないと、あらためることができない。

「え、表情とか」

思いもかけぬことを里美が言ったので、思わず凍りつく。つまり話の内容ではなく、私の顔が可笑しいというのだ。

「先生、今度うちの大学にいらしてくださいよ、講演とか……」

御名木が言い、とたんに私は心臓が停止するのを感じ、口の紅茶を全部吐き出しそうになったが、かろうじてこらえた。続いて飲み込もうとしたら、今度は急いだのでむせてしまった。

「あ、石岡先生、講演駄目なんです」

里美がさっさと言った。

「ほう何故です？」

御名木は不思議そうに訊いた。学生の前で毎日講義をしているような人には、講演が駄目という発想が理解できないのであろう。だから私はただ曖昧（あいまい）に笑って、話題が転じるのをじっと待つほかはなかった。

「私、あの先生好き」

里美は、御名木が帰っていくと言った。

「どうして？」

「威張らないしぃ、すごく一生懸命だしぃ、なんでも親身になって一緒に考えてくれますしぃ。ああいう先生に会えたから、セリトス選んでよかったなって思って」

それから二週間ばかりがたった、日曜日の夕刻のことだった。ちょっとした調べものがあって、私は紅葉ヶ丘（もみじがおか）の県立図書館に行った。何冊か本を持ってきて、閑散としたテーブルで一人読んでいると、石岡先生ではないですかと問う者がいる。見ると御名木教授であった。彼もまた一人で、なにやら和本らしいものを読んでいた。私はちょうど一段落したところだったから、本を持ち、席を立って彼の方に寄っていった。彼も一人だったから、そうできたのだ。

「先日はどうも、失礼しました」

私は言った。

「いえいえ、こちらこそ」

御名木は言う。

「先生、何かお調べものですか」

訊くと、

「ああこれですか」

御名木教授は言って、読んでいた本の表紙を見せた。「リードル」と、片仮名が毛筆で書かれていた。

「何か、専門関係の古文書とかですか?」

私は訊いた。

「いやこれは、幕末に、越前福井藩主が自分で作った英会話の本なんです。聞き書きでね、ちょっと面白いものですから」

本文は延々と英語で書かれ、逐一下に、片仮名で発音が書かれている。すべて毛筆だ。

「へえ、こんなものができていたんですか」

「ええ、こういう類のもの、けっこう多いんですよ。松平春嶽だけじゃなくて徳川慶喜なんかもそうだし、彼は油絵も描いてます。描いて春嶽に贈ってますよ」

「へえ、慶喜というのは、最後の将軍ですね？」

「そうです」

「松平春嶽というのが福井の？」

「そう、藩主です」

「そういうことも、ご研究なさってるんですか」

「ええ。いや、これは趣味でして」

御名木は、照れたように少し笑った。

「こういう和本の類を、あちこちで片端から読んでいるんです。ちょっと探しものをしていまして」

「探しものですか」

「はいまあ……、しかしこれは話せば長い話で。ともかく私は今、神奈川区の本覚寺の近くに住んでましてね、それもあって、なんとなく横浜の近代史に興味を持つことになったんです」

「本覚寺、というと」

「ええ、幕末にアメリカの領事館が置かれた寺なんです。最初のハリスの頃は、下田の玉泉寺だったんですが、横浜を開港して、領事館は神奈川宿のこの寺に移ってきたんです」

「ほう」

「ヘボンてアメリカのお医者さんが住んで、ヘボン式のローマ字で和英辞書を作ったりしたのもこのお寺のようですね」

「ああそうなんですか」

自慢ではないが、私は歴史に暗い。横浜に住んで長いのに、そんなことはちっとも知らなかった。

「生麦事件ってものがありましたでしょう」

「ああ、はい」

そのくらいなら知っている。大名行列を、馬に乗った外国人が横切ったので、無礼者とされ、行列の侍に斬られたのだ。

「あの時斬られたイギリス人も、この本覚寺に運び込まれたんです。そして、ヘボン博士が治療したんですね」

「へえ、お詳しいんですね」

私は言った。

「歴史は好きなんですけど、どうも知識がなくて」

私が言うと、御名木は笑っていた。

「あの、横浜のお生まれなんですか？」

「いえいえ、とんでもない。私はもう田舎者でして。この生麦事件の張本人の国ですね」

御名木は言った。

「張本人、というと」

「薩摩（さつま）です、鹿児島ですね」

「ああ、薩摩でしたかね、あの行列は」

「そうなんです。薩摩の島津久光の一行で、京都の天皇の勅命を持って幕府に下向して、その帰り道の事件なんですね。だから、どうも鹿児島者としては肩身が狭いです」

「はあ、それでお詳しいんですか」

「それもありますが、私、父親が日本史やってまして、鹿児島大学で教鞭（きょうべん）をとっていました。まあ地方の郷土史家ですね。だから私、こんなような和本の類に囲まれて育ちましてね。そんな影響もあるんです。いかがです先生、ここであんまり話しているとみんなの迷惑になりますから、ちょっとどこかでお茶でも」

それで私たちは立ちあがった。

2

図書館を出て、私たちは同じ敷地内にある喫茶店に入った。窓ぎわに席をしめると、青々と、鮮やかに萌えはじめた春の木々が、すぐ手近に望めた。

「犬坊の里美ちゃん、教えてらっしゃるんですよね」

紅茶が来る前に、私は訊いた。

「そう、私の講義、取ってくれているようです。彼女は」

御名木は言った。

「ミステリー研の顧問もやっていらっしゃるとか」

「ああ、まあそうですね。お嬢さん大学のことですから、一応顧問を置いているといったところで」

「犬坊さん、途中転入ですけど、みんなとうまくやっているみたいですか?」

「うん、なかなかうまく溶け込んでいるみたいですね」

教授は言った。

「犬坊里美ちゃんは、御名木先生のこと好きだって言ってましたよ。だからセリトス選んでよかったたって」

すると御名木は笑って、何も言わなかった。それは私の目には、周囲にたくさん女の子がいる余裕のように思われて、うらやましかった。私なら、もし里美が石岡先生のこと好きだって言っている、などと言われたら、こんなに穏やかにすわってはいられないだろう。

「石岡先生は知りあわれて……」

「まだ一年ちょっとでしょうかね、岡山県貝繁(かいしげ)村の、龍臥亭(りゅうがてい)というところで……」

「ええ知っています。ご本、拝読しましたから」

「ああそれは……」

「大変面白かったです。あの都井睦雄(といむつお)の事件というものも、大いに考えさせられますね。あの事件も、日本人一般に正しく認識されていなかったです」

「はい、まあ犬坊さんのおかげで、ああいう史実も知れたんですが。だからぼくは、彼女には大変感謝しています」

「うん、だからですね、正直言うと、私はその点ちょっと心配しているんです」

「え、心配、と言われますと?」

「うーん、ま、私の取り越し苦労かもしれないですが」

　御名木は、苦笑するようにして言う。

「どんなことでしょう」

私は不安を感じた。

「犬坊君は全然解っていないようですが、彼女はなかなかの有名人になってしまっていますね、特にミス研ではです。みんなよく知っている本の登場人物なんですから」

「はあ……」

「だから、やっかんでいる子もいますよ」

「え、そうなんですか、何か問題が出てますか？」

「いや、まだ表面化はしていませんが」

「でも、そんなことで犬坊さんが責められるなんてことは、ないでしょう。まさかそんな理不尽なことは……。貝繁のあの事件では、彼女自身ひどい目に遭ったんですし、そんなひどいことする人はいないと思いますが」

「いや、やる側には正義がありますから」

「どんなですか？」

「つまり、みんな平等でないと、ということですね。犬坊さん一人が有名では、これは不満も出ます。でも本人たちは、自分の感情がやっかみだとは、誰も気づいていませんし」

「はあ、そんなことって……、でもあるんでしょうか」

「いや世間には実によくあることで。彼女は石岡先生とも親しいし、いずれ御手洗さんにも会えるかもしれないでしょう。これは立場がおいしすぎるという発想ですね」

「はあ……」

私は少しショックを受けた。

「だから、これからちょっと心配なんですけれどね」

「なるほどなぁ、犬坊さんを仮名にすればよかったですかね」

「うーん、まあ……、でも心配はないでしょう」

御名木が言う。紅茶が運ばれてきた。私はしばらく考え考え紅茶を飲み、話題を転ずることにした。

「ところでさっき、幕末の生麦事件のことで、薩摩の者は肩身が狭いと言われましたよね」

「そうですね」

御名木は笑った。

「それは、正確にはどういう……」

「つまり、この時期の日本は、海外列強の植民地になる危険は、これはかなりあったと思うんです、現在の視点から見ると」

「ああ、そうなんでしょうか」

私はこれまで、そういうことをあまり考えたことがなかった。

「うんまあ、資源が乏しいということで、命拾いはしていたと思いますが、銀とか銅を掘りつくしていましたから。だからイギリスなど列強としては、木綿なんかの、自国の大量生産商品の消費地としての価値しか、日本に見ていなかったろうとは思います」

「はい」

「日本人の生活水準は、当時それなりに高かった。だから購買力はあった。ものを売りつけようとする側には、これは悪くないことです。しかし日本の方で自滅して、棚ぼた式に列強の懐に転がり込んでくるような展開は、これはあり得たかもしれないです。そのひとつの可能性は、国内でさんざんお山の大将争いをして、徹底的に殺し合って、薩長土肥、どこかが、息も絶え絶えでようやく天下を取ったような場合、これはもう国内は焼け野が原ですから、国民は住むところも食料もなくなっている。外国勢力の援助を期待するしか道はないでしょうから、江戸あたりがごく自然に外国の保護領になってしまう。こういう展開がひとつですね」

「はい」

「もうひとつの危険は、やはり攘夷(じょうい)のテロですね。これは外人を斬る侍の方は、彼らを国から追い払うためという正義があったんですが、事件のたびに幕府は平謝りして外国人の地位待遇をあげるほかなく、そうなると日本側の要求は引っ込めるほかなくなって、開国はみるみる既成事実となっていったんです」

「ふうん、皮肉なことですね」

「外人殺害があんまり進むと、開国うんぬんを通りすぎ、植民地化の危険が具現化していきます。その典型が生麦事件ですね。これは、御行列が東海道を行くということは、外国奉行に届けてあったと薩摩は主張するんですが、どこかの部署の行き違いで、奉行は聞いていなかった。したがってイギリス公使館もまた聞いてはいなかった、というふうことになったんです。だから英国人の男女が、行列を知らずに馬に乗って生麦周辺を散策することになったわけです。これを殺傷したことで、英国側は大変に怒ったわけです。いよいよ戦争も辞さずということで、フランス軍と共同で江戸湾深くに軍艦を進めて、江戸市街と江戸城に大砲を向けて、謝罪と賠償金の支払いを迫ったわけです。ここはまさしく一触即発の状況で、戦争が始まっていてもおかしくなかった。ことの正当性はイギリス側にありますし、火器の性能の違いから日本側は大敗して、植民地化の引き金になっていた危険は充分にありますね」

「ああなるほどね、そうですか」

「特にイギリスというのは、これは相手が悪いです。当時横浜の外国人居留地に暮らす外国人の総人口がだいたい三百人弱、そのうちの約半数がイギリス人です。これは圧倒的な量で、アメリカ人の倍くらいいたんです。ほかの国はほんの十数人ですね。そして総貿易量の八〇パーセントはイギリス相手です。十九世紀というのは、まさに大英帝国の絶頂期ですから」

「生麦事件は、結果はどうなったんでしたっけ」

「幕府が十万ポンドの賠償金を支払ってことなきを得るんですが、薩摩藩は支払を拒否して、イギリスと薩英戦争をして、大敗を喫するんですね、鹿児島湾沖で」

「ああなるほど」

「だから肩身が狭いわけです。亡国の危機を誘導したんですから」

御名木は笑った。

「でもそれから薩摩は、長州と一緒になって天下を取るんですね？」

「はいそうです。薩英戦争以降に英国とは和睦（わぼく）して、薩摩は英国から武器なんかを買うようになるんです。戦争をやってみて、武器の性能がまるで違っていることがよく解りましたんで。飛距離は全然違うし、英国海軍が使っていたアームストロング砲というのは、弾丸自体が爆発するんです。その頃の日本のは、まだただの丸い鉄の球です。銃もまだ火縄銃でしたから。第一日本には海軍がないんです。だから相手を沈める方法がない。英国としては、今のうちに一戦を交えたかったでしょう、日本の軍装備が極端に旧式のうちに。やれば簡単に勝つのは解ってましたから。

もともと薩摩っていうのは、開国遠略策というものを主張して長州と対立していたんです。とりあえず開国して国を富ませ、西洋式の新しい武器を整えてから攘夷を行って、鎖国に戻るという構想です。これの当否は別として、骨子はのちの明治政府の方針ともなりましたね」

私はうなずいた。なにやら、日本史のゼミを受けているような気分だった。教授という人種は、知らず知らず周囲に講義を行ってしまうものらしい。

「なんだか、勉強になります」

私は言った。

「いや、知ったかぶりして失礼しました。私の歴史の知識なんてものは貧弱なものでして……」

「とんでもない。歴史の本にもなかなか載っていないようなものですよ、さすがに大学の先生は違いますね」

「からかわないでください。こういうのは父の受売りで。私の父は、これはこのあたりのことはよく知っておりました。まあ一生をかけていたわけですからね。寝ても醒めても歴史歴史歴史で、日本の歴史、薩摩の歴史のことばっかり考えていました。歴史の虫ですよ、もう病人ですな、ああなると」

私は御手洗を思い出した。

「まだお元気なんですか？」

「いや昨年亡くなりまして、それでね、臨終の席に私のこと呼んでね、変な遺言していました」

「変な遺言」

「そう、親父は、心残りなことがあったらしくて」

「遺産のこととか、ですか？」

「ま、普通そうでしょう。ところが親父は変わっていて、また歴史です。どうもね、死ぬ間際まで考えていて、解けない謎があったらしいのです」

「解けない謎、それも歴史のことですか？」

「そうです。おまえ代わってこれ解いてくれと。はた迷惑な話ですよ、私は法学部で、専門が違うのに」

私は興味を引かれた。謎という言葉に感性が反応したのだ。私は言った。

「謎ですか。まあ私なんか、聞いても全然解らないと思いますが、どんなような謎なんでしょう。もしよろしかったら」

「ええ、石岡さんとご友人に、いつか聞いていただきたいものと思っていました。でも日本の命運に関わるような大きな謎でないですし、もう今からは調べようもないことなのですが」

「歴史のことなのですね？」

「はいそうです。薩摩の郷土史上の、まあひとつの謎なんですがね」

御名木は、言って紅茶をひと口飲む。

3

「いま私、日本の命運に関わるような大きな謎ではないと、つい言ってしまいましたが、考えてみるとそうではないかもしれない。命運に、ある意味で大きく関わっているかもしれないです。というのは、酒匂帯刀という下級武士が薩摩にいて、これが明治維新時、兵隊の一人として大いに活躍するんですが、これはこの人物が子供の時の話なんです」

御名木は言う。

「はい」

「酒匂というのは、刀の腕は人一倍たつんですが、学識に優れた非常に穏やかな人物で、書や絵をよくして、西郷隆盛の友人でもあった。西郷が、あれほど犬猿の仲だった長州の討伐をまかされながら、生かして結局薩長連合を結んだり、勝海舟とはかって、江戸をまったく破壊せずに無血入城したりといった有名な温和政策は、実はこの酒匂の助言があったといわれているんです」

「ほう」

「西郷というのは、それは好戦的な男ですから、早くから幕府を攻めろとか、慶喜の首を落とせとか主張していた人物です。それが途中からがらりと変わるんですね。酒匂と出会ったせいといわれています」

「ふうん」

「とすれば、この酒匂がいるいないで、日本の歴史は変わったかもしれない。この酒匂帯刀は、土佐藩の清水五郎左衛門というやはり下級武士の家に生れています。しかし十一人もの子供たちの末っ子で、家が貧しくて、口減らしのために戊提寺という寺に養子に出されるんです。この寺に寂光法師というお坊さんがいて、この人と出遭うんですが、事情があってこの和尚も寺を出ることになって、長い托鉢放浪の旅に出るんです」

「はい」

「この食うや食わずのつらい修行の旅に、寂光法師は可愛がっていた帯刀を連れていくんです。当時彼は幼少名を矢七といって、まだたったの七つだったんですが」

「ほう」

「二人の旅が九州に入った時に、寂光は重い病を得るんです。それで、矢七が懸命に頑張って家々から栄養になる食料や薬をもらってくるんですが、その食料もだんだんになくなるんですね。季節は収穫の秋だったんですが、その年は雨がまるで降らず、凶作で、米がなかったんです。それで南にさえ行けば暖かいし、食べ物もなんとかなると思って、寂光は病の体をひきずり、養子の矢七はこれをなんとかかばって南下を続けて、ついに薩摩の地に入るんですが、これが最悪の選択だったんです」

「何故です」

　身を乗りだし、私は訊いた。

「土地に入ってみるとびっくりです。薩摩の土地は、行けども行けども、見渡す限り一面に真っ白で、作物の類がいっさい実っていなかった」

「ほう」

「稲穂の一本も実っていなかったんです」

「どうしてです?」

「時は天保九年だったんですが、この年に桜島が大噴火していたんです。これは歴史的なまでにもの凄い噴火で、日夜おびただしいほどの量の火山灰が、薩摩の土地を襲ったんです。来る日も来る日も村は濃霧のようなありさまで、一寸先が見えない。地面は灰で真っ白くなって、土も見えなくなる。肺をやられて病気になる者、目が潰れる者、大量の灰で家を潰されて死ぬ者、この天災で被害者が続出したが、一番の被害は農地だったわけです」

「なるほど」

「鹿児島は、今でも時にこの手の被害が出ますが、それはもう大変なものですよ。桜島というのは、火山灰型の、世界的にも珍しい火山なんです」

「そうだそうですね」

「しかもこういう火山のすぐそばに、鹿児島なんて人口の多い街があるっていうのも、世界的に珍しい例だそうです」

「ふうん」

「われわれ鹿児島者は、桜島の被害で、遠い昔からさんざん苦しめられてきているんですが、この年は特に、壊滅的なまでにひどかった。天保九年は、薩摩の耕作地は一面真っ白けで、田畑に作物は何も実っていなかったといわれます。最も深刻なものは稲です。ただの一本も稲籾(いなもみ)をつけるものがなかった。全部枯れて、全滅です」

「はあ」

「稲だけじゃない、畑も全滅で、野菜も果物もいっさいの収穫がなかった。だからこの年の薩摩には、食べるものがなかったんです。ねずみも鳥も姿を消したといわれています」

「ふうん」

「するともう頼るは海産物のみですが、この年に限っては、たまたま魚や貝、海産物の漁獲量までが少なかった。藩の殿様に献上して、漁師を中心に少しずつみなに分けて、でもこんなものはたちまちなくなってしまう。するとあとは琉球(りゅうきゅう)頼みです。米を差し出すようにお達しを出したが、ここにも余分はない。だから米はほとんど届かなかったんです。近隣の諸国にも助けを求めたが、どこにも余分はない。悪いことに近隣のどこも日照り続きの凶作で、みんな自分が食べるぶんでかつかつだったんです。

　それで、いよいよ深刻な事態になった。薩摩の民は、漬物や干物なんかの貯えを、みんなで少しずつかじって飢えをしのいだが、これらもやがてなくなる。とうとう飢饉（ききん）です。あっというまに死人が出はじめる。するともう連鎖反応で、老人、病人、また子供を中心にして、どんどん人が死んでいく。死者の輪はみるみる広がり、薩摩は地獄の様相を呈しはじめたんです。飢饉でも、相当ひどい部類のものになった。

　犬猫を殺して食らう者、昆虫を食べる者、壁土を食らう者、だがそこまではまだよかった。飢えて死んだ者、病死した身内の者の肉をひそかに食らう者が出はじめる。これを焼く匂いを嗅（か）ぎつけると、近所の者が寄ってきて、有無を言わせず奪いあう。近所に死んだ子が出たというと、忍び込んでこの死骸（しがい）を奪おうとみなが画策する。地獄です。火山灰の、白い地獄ですね。人の肉を決して食べてはならないと藩は触れを出したが、もちろん何の役にもたちはしなかった」

「ふうん……」

「飢饉は、全国各地、日本史にいろいろと現れますが、薩摩のものが一番ひどいんじゃないでしょうか。火山灰によるものですから、作物が徹底的に駄目になるんです。根こそぎやられるんですな。だからあっというまに悲劇が広がる。たちまち死人が出るんです」

「ところがよくしたもので、ここに、たったひとつだけ実がなった作物があったんです」

「なるほど」

「なんです？」

「大根です。村はずれの一角に、ここだけに何故か大根が豊作になった畑があったんです。しかも奇跡が起こって、この大根がみな異様な大きさに育った。すべておとなのひと抱えもあるような、巨大な大根になったんです」

「桜島大根ですか？」

「そうです、よくご存知ですね。土地の言葉では『しまでこん』といいますが。これは今でこそ科学管理されて、たくさん、組織的に採れるようになりましたが、江戸の当時はまったくの出たとこ勝負です。大きく太るか、それとも通常のサイズになるか、生ってみるまで誰にも解らない。突然変異なんですから。ところがこの飢饉の年、この『しまでこん』だけが、それもある農家の畑一角だけに、異様なほどの豊作になった。畑に生った大根全部が、みんなひと抱えもあるような巨大なものになったんです」

「へえ、天の助けですね」

「まったくその通りなんです。というのは、これは遺伝学上の謎なんですが、この『しまでこん』は、何故か火山灰の土壌だけにできるんです。だから、作物全滅のこの年、『しまでこん』だけが豊作になった。しかし、とはいえ、いくら巨大大根といっても畑がひとつだけですから、藩の者全員の口に入れて、みなの飢えを均等に救済するというほどの量がない。このまま放置すると大根は、民の奪い合いになることが目に見えてますから、お上は、この大根畑の周囲を綱で囲って、大根を盗って食した者は死罪に処すると厳命した触れを出したんです」

「うーん」

「厳しいですが、まあやむを得ないところでしょうか。放っておけば、争いでやはり死人が出ます。大根は大きいですから、ひとつ盗めば楽に十人分、二十人分の食料になります。この種の触れは、以前漁村にも出していて、魚を盗んだ者を実際死罪に処していますが。それも六人もです。だからこの触れは本気でした。藩としても必死だったんです」

「はい」

「しかし、村の庶民としてもおさまらない。というのは、この巨大大根という非常食料を目の前にして、村人がばたばた飢え死にしていくんです。この中には子供も、生まれたばかりの赤ん坊もまじっています。それを追って、絶望した母親も死んでいく。それに、じっとおとなしくしていれば大根は、どうせお上の腹の中におさまることは目に見えていたからですね。量から推して、殿様はじめ藩の上層武士の口におさまって、それで終わりになることでしょう。とてもしもじもの口に廻るほどの量はない。盗るなと言われておとなしくしていれば、村人はこのまま全員飢え死にです」

「じゃあお代官としては、終日見張りでも立てて……」

「最初はそうしていたようですね。しかしお上としても、実のところ良策はなかったわけです。食べるなと触れは出したが、その先どうしていいかは解らなかった。あまり長い間放っていれば大根は枯れます。みすみす食料が消えていく。それならかんぴょうにするとか、切り干しにするとか、漬物にした方がいい。しかしそんなお沙汰もない。お上の無策に、村人の怒りや絶望は募っていた」

「ええ」

「寂光法師と矢七は、はからずもこういう地獄の一丁目に迷い込んでしまったわけです。そして法師は、この大根畑のほど近くで、いよいよ力つきて倒れてしまうんです。病重く、これでもうここで生涯の終わりということになった。七歳の矢七もそうで、もう餓死に一歩手前となってしまって道に倒れた。行き倒れです」

「そうでしょうね、七歳の子供ではね」

「しかし運よく、お嘉という村のお婆さんに二人は助けられるんです。が、お嘉さんとしても、近所の者を頼んで二人を自分のあばら家に運んで、寝かせつけて水を与えるくらいが関の山で、行き倒れの二人に食べさせるものがないんです」

「そうですね」

「だから二人はどうせ死ぬことになります。道端でなく、せいぜい布団の上で死ぬことができるというだけの話で。それでね、この当時のそういう様子を詳しく書いた書き物が残っているんです。『大根奇聞』というものなんですが、酒匂帯刀が明治になってから書いたものです。思い出話でね、これが父親の形見なんです。これを死ぬ前、私にくれました。今も私、横浜の家に持ってきています」

「え、つまりこの七歳の子供は、助かったんですか？」

　驚いて私は言った。

「助かっているんです。子供だけじゃなく、寂光法師も助かって、別の土地で川に橋を架けたりして、人助けを遺しています。だって矢七は助かって、のちに維新で大活躍するんですから。そして政府の要人にもなるんです。ここに謎があるんですね。郷土史専門の父親が、どうしても解けなかった謎です。餓死、病死寸前の二人が、どうやって助かり、生き延びたか」

「つまり、何を食べて二人は生き延びたか、という謎ですか？」

「いや、そうじゃないんです。食べたものは解っています」

　言って、御名木はひと息をつく。

「食べながら、どうやって生き延びたかです」

「ふうん」

「二人だけじゃない、お嘉という、二人を助けたこのお婆さんも、生き延びているんです。三人は、いったいどうやって生き延びたか」

4

天保九年の薩摩沓掛の村は、末法で言う地獄とはこんなところかと納得させられるような場所だった。十一月十日、寂光と矢七が、柔らかい地面を懸命に踏みしめて沓掛の村のはずれにかかった時、灰の匂いと死臭は、上空を被うばかりになった。空は色を失い、鳥の姿もない。

天と地の境が消滅した。灰が空を漂い、土地の上空が汚れた薄物ですっぽりと被われたようだ。踏みしめて進む地面も、ここが事実道か、それとも田畑の中か、草地か、他人の家の庭か、まるで不明になった。灰が厚く土地を被って、あらゆる境界線を隠しているからだ。歩を運ぶたび、足はくるぶしまで埋まる。時に、膝までがすぽっと埋まる。衰弱した体には、これをいちいち引き抜くことも骨だ。草鞋は灰の埃を舞いあげ、咳が絶え間なく出る。気力を消失した体は、咳に揺すられるのも辛い。

村のあらゆるものが灰に埋もれている。草の緑などかけらもなく、立ち木も、なかばまでが灰の中だ。草葺きの農家も、軒までが灰に埋もれて、堆く積もった白茶けた灰のすぐ上に、汚れた軒が載っている。軒の下には、人の住み暮らす暗がりがかろうじて覗けるが、中に人がいるようには見えない。目のおよぶ限りの場所に建つ家が、すべて廃墟のようだ。

　行く道の端、ところどころに盛りあがる場所があり、これを杖の先でつつくと、たいがい何かの死骸を、灰が降り積んで隠したものだった。多くは動物だったが、人間の場合もある。掘り出してみると、動物はみな干からびて、毛皮だけになっている。自然に干からびた様子ではない。後脚と腹のあたりがすっかり空洞になっているから、人間に肉をえぐられ、食べられたのだ。

　集落に分け入るほどに、人の死骸が多くなる。灰の下から引き出すと、たいていの者が衣服を剝がされ、丸裸の上に背や尻の肉をえぐられていた。おや今度は無傷の背かと思い、灰から出して表返せば、これもまた腹の側には何もない。骨がのぞくばかりで腹と脚の部分はぽっかりと空洞だ。肉をえぐり取られ、村の者か行きずりか、誰によってかは不明だが、人に食べられたのだ。これは動物の食べ方ではない。

　世にもおぞましい場所に迷いこんだものだった。人の死骸を見るたび、寂光法師は葬ってやるよう供の矢七に言ったが、すぐに諦め、念仏だけにした。自分の体も弱って動かない上に、供の者は七歳の子供だから、死体もよく動かせず、穴も深くは掘れない。また道具もない。だんだんに念仏を唱える体力もなくなって、死骸らしい盛りあがりを見ても、そのまま通りすぎるようになった。寂光は絶えず咳をして、腹も痛んでおり、頭痛がし、熱もある。加えてもう四日も何も食べていない。目も痛く、言葉を口に出すのが辛い。耳もよく聴こえなくなり、体も震え、杖にすがって歩くのがやっとだ。自分もいずれ道端に倒れるだろうことが解ったのだ。

最も辛いのは、供の子供も日に日に弱っていくことだ。自分がここで死ぬのは致し方ないとしても、連れてきた幼い子供も殺すのは不憫だった。しかしこのままでは子供の運命も同様だ。この子のために、なんとしても食べ物を得たいものだと寂光は思うが、しかし彼にはもうその元気がない。土地の者に話しかける力も残っていそうではないし、たとえそうできても、土地に、旅の者に恵む余分の食料などないであろう。

動植物、あらゆる死骸が満ち満ちた世界だったが、どこにも血の色はないのだった。あらゆるものがすっかり乾き、灰の色に染まった。いや血だけではない。晩秋の南国、平和な普段なら実りの世界が拡がるはずだが、実った作物などなく、そしてあらゆる事物が色を失っている。空には色がなく、枯草も色を持たず、たまに咲く花さえ灰色で影絵のようだ。地面のあちらこちらに散らばる死骸、田畑、彼方の山、散在するあばら家と荷車、野壺や、その上を被う小屋根にいたるまでが灰の色で、これはもう黄泉の国だ。

その証拠に、村に入って久しいが、まだ一人も生きた人間に出遭わない。人間だけではない、動物も、鳥もいない。みな死に絶えたか、それともおのれの棲(す)み家(か)で、飢えて死にかかっているのか。

そういう地獄の地の底で、絶えず足もとを揺さぶり、地鳴りが続いていた。動物が唸(うな)るように音は低く、長く沈んでいるが、時おり、怒りを爆発させるように大音響になった。するとこれを追って地震がやってきて、世界がびりびりと震える。時にはこれでしゃがみ込まされる。

二人の弱々しい歩みが丘にかかり、ようやく登りきって、知らず休息になった。弱りきった体に鞭(むち)打って顔をあげれば、灰で霞(かす)む海が眼前にひらけていた。ついに地の果てか、と寂光はつぶやいた。この先はもう海であったか。南の果ての大海原、これまで、ここを目ざしてやってきていたのだが、この眺めも、もはや慰めではなかった。海もまた、冷え冷えとした死の光景だった。海原の彼方に、空の大半を隠し、もくもくと煙を吐き続ける桜島が望めたからだ。

あれか、と寂光は脇の子供に言ってみた。あの火の山が、すべての生き物を殺し、土地を地獄に変えたのか。なんと理不尽なことか。神仏も、もはやこの土地は見棄てたもうたか。よろよろと灰の上にうずくまり、杖を倒して懐から数珠(じゅず)を出し、寂光和尚は桜島に向かって念仏を唱えはじめた。

彼方の桜島は、すると仏に挑む魔王のように、怒りの雄叫(おたけ)びをあげる。もくもくと噴煙を吐き、時に炎の色さえちらつかせる。噴火の轟音(ごうおん)、ばらばらと雷(いかずち)のような残響音がこれに続いて、息も絶え絶えの寂光の念仏など、たちまちかき消される。かすれ声の、しかも咳混じりの念仏など、火の山の傲然(ごうぜん)たる勢いの前にはいかにも無力で、なんの効能もありそうではない。海を渡ってくる灰は絶え間なく周辺に降りかかり、寂光の笠(かさ)や袈裟(けさ)に積もっていく。

立っていた矢七も、ご念珠が長くかかりそうなので、自分も師の横にしゃがみ込み、祈りはじめた。そうしたら、急に苦痛が襲った。腹に絶えず不快な気分があったが、この時ついに堪えきれないものになって、口に胃酸を感じた。と思ったらたちまち強い胃の収縮がきて、少し胃液を吐いた。震える体で地面に這(は)いつくばり、不快に堪えようとしたが、苦痛は去らず、かわりに気が遠くなった。

薄れていく視界のすみで矢七は、灰の上にゆっくりと倒れ込んでいく和尚の姿を見た。いけない、自分が何とかしなくてはと思ったが、体はすっかり痺(しび)れてしまい、まったくいうことをきかない。目の前が暗くなった瞬間、何かが自分の側頭部を強く打った。あっ、これは何だと思ったら、地面だった。矢七の記憶はそこまでだ。

気づいてみると矢七は、粗末な薄い布団の上に仰向けに寝ていた。背中に、布を通して藁の感触があった。あっと思い、何か声を出そうとしたのだが、喉が干からびたようになっていて、音にならない。口からは、ひゅうと風が鳴るような音が漏れたばかりだ。

「おお、気がついたかね」

　年寄りらしい声がどこかでした。けれどこれもまた元気がなくて、きしるような、ささやくような声だった。水、水、と矢七は言いたかったのだが、それが音にならない。

「水？　水かね？」

　察しをつけて訊かれ、矢七は夢中で頷いた。すると痩せた冷たい手が、矢七の頭の後ろにゆっくり入ってきて、頭を硬い藁の枕から少し持ちあげてくれた。見ると茶碗が口もとに迫ってきていて、矢七は夢中でこれに吸いついた。

「ゆっくり、ゆっくりな、あまりいっぺんに飲んだら、腹が悪うなるよ」

　茶碗には水が入っていた。そのしわがれた声に矢七はしたがい、少しだけで我慢をした。その水の冷たさ、夢のようなおいしさは、この世のものと信じられないほどだった。水も、もう丸一日ぶりだ。

「ああおいしい」

　矢七は言った。喉が湿り、やっと声になった。

「おいしいかね、そうかね、よかった」

　相手は言った。この時、矢七はやっと声の主を見た。人心地がついたからだ。痩せた老婆だった。しわの勝った瞼に黒い目が覗いて、それが細くなって笑っていた。

「ありがとうございます」

　矢七が言うと、

「おお、おお、じょうずにお礼が言えるんじゃね、賢い子じゃね」

　感心したように彼女は言った。やさしい表情をした老婆だった。

「あんたは、いくつ？」

　そう訊いてきた。

「七つです」

　矢七が応えると、そうかね、そうかねと彼女は言った。

「名前は？」

「矢七です」

「そうかね、矢七か、矢七さんは賢いねぇ、こんなに小さいのに、苦労したんじゃろう。婆ちゃんにも、あんたくらいの年の孫がおったんよ。でももう死んでしもうたけどなぁ、いい子じゃった。婆ちゃんの名前はお嘉」

「お嘉婆ちゃん……」

「そうじゃ、お嘉婆ちゃんじゃ。あんたがそう呼んでくれたらね、うちは嬉しいよ。矢七ちゃん、あんた、大変なところに来たねぇ、どう、体は苦しいかえ？」

心配そうな声が言う。

「はい、大丈夫ですが、ずっと目が廻って」

「目が廻るか、そうか、可哀想にの、熱があるからの。何日食べておらんの？」

「和尚さんは……」

これには応えず、首を持ちあげて矢七は周囲を見た。自分が助かったらしい今、何にも増してそのことが気になった。死んでしまってはいないだろうか、ここにいるのは自分だけではないのか。もしそうなら、急いでさっきの場所に戻らなくてはならない。だが、寂光法師も横の布団に寝ていた。息もあるらしい。無事だ。よかった。

「この和尚さんは、たんと弱っとるよ。まだ気がつかんのよ」

お嘉は言った。

「病気なんです。心の臓が弱いし、腹も頭も痛いと。それに熱もあります」

「ああ」

老婆は溜め息をついた。

「そうじゃね、この人はよくないよ。父さんかね？」

「はいそうです」

「そうかね、ずっと一緒に旅してきたんかね？」

「はい」

「そうかね、そうかね、どこから?」

「土佐です」

「ああそうかね、それは遠いところをねぇ、大変じゃったろうに」

「お婆ちゃん、父に、何か食べさせてあげてくださいませんか」

矢七は必死の気分で言った。そうでないと、和尚は死んでしまう。

「何日食べおらんかね?」

「四日かなぁ」

「そうかね、四日か。父さんも、あんたも、何か食べんと危ない。何か腹に入れて、栄養摂らんとなぁ、死んでしまうよ。でもな、何か食べさせてあげたいけど、うちには何もない、水だけしかないいんよ。私ももうずっと、何も食べとらんの」

「そうですか、このあたりは、お寺はないですか」

「この先、ずっとくだって行ったところに清河寺があるけど、行っても同じじゃねぇ、食べ物なんぞはないよ。村には、どこにも食い物はない。だからみんな、ばたばた死によるよ」

「ああ、そうですか」

体から、力が抜けた。助けられても、食べ物はないのだ。死ぬのが少し先に延びただけだ。

「桜島の大噴火で、米や作物がぜーんぶ駄目になってなぁ、今年は魚も捕れんし、琉球から米も来んしなぁ、婆ちゃんも、これでもう今年は駄目かなと思うとるんよ。あんた、悪い時に来たなぁ」

「はい」

矢七は何を言っていいか解らず、黙っていた。助けてもらっただけでもありがたいと思わなくてはならない。ここなら、咳（せき）が出るあの灰だけはしのげる。

老婆は、じっと矢七の顔を見おろしている。沈黙ができると、遠い桜島の、噴火の地鳴りが聞こえる。

「矢七ちゃんは、賢そうな顔しとるなぁ、読み書きはできるんかな？」

お嘉婆ちゃんは訊いた。

「はい、父に教えてもらっていますから」

矢七は応えた。

「そうか。学問しとるんじゃな」

「はい、少しですけど」

「そうか、大きくなったら、偉い人になるんかなぁ」

これには矢七は何も応えられなかった。大きくなったらといわれても、こんなに苦しくて、ここでもう死ぬかもしれないのに、予想など言うことはできない。

「ここはお婆ちゃんのお家？」

「ああそうじゃ、あんたらが道端に倒れておったからね、近所の若い衆に頼んで、ここまで運んできてもろうたんよ」

「申し訳ありません」

思わず言った。

「そんな、おとなのような口きかんでもよろし。ここは婆ちゃん一人暮らしじゃからね、なんも気兼ねはいらんの。体がようなるまで、いつまででもおってよいんよ。でも食うものがないねぇ、ひもじいじゃろうにね、すまんね」

「いえ、いいんです。ひもじいのは馴れてますから」

そう強がってはみたが、今回のこれは尋常ではなかった。体中から力が抜けている。目が廻るし、体に絶えず震えがくる。

「声が辛そうじゃなぁ、はあはあ言うて、あんた、もうあんまり話さんでもええよ。この村なぁ、ひとつだけ食べ物があるんよ。この先の畑に、しまでこんがいっぱいなっとる」

「しまでこん？」

「大根よね。今年はね、みーんな、大きな大きな大根になったんよ。婆ちゃんなんか、とっても一人では持てんような大きな大根よね。村の若い衆でも、二人がかりでないとな、とってもひとつも持てんような、大きな大きなものになったんよ、今年は」

「はい」

「今年村にできたものは、あれだけじゃねぇ。もしあれが食べられりゃあね、村のみんな助かるんじゃけどね。でも殿様や代官様が、盗ったらいけんてね、盗ったら打ち首じゃと、そういう触れが出たんよ」

「ふうん」

「でも、殿様とお城のお武家さんみんなが食べたら、それでもう終わりじゃね、大根がなんぼたくさんあってもね。村のうちらの口には入らんよ」

「はい」

「食べたら打ち首、食べなんだら飢え死に」

お嘉婆ちゃんは、歌うように言った。

「暗いですね。もう夕刻ですか」

矢七は訊いた。

「いや、灰が軒先まで積もっとるからね、陽が入らんのよ。それで暗い。でもまだお天とうさまは高いよ」

「ああそうですか」

しかし、間もなく陽が落ちていき、その頃、ようやく和尚も気がついた。事態が解ると、お嘉に礼を言っていた。しかし、すぐに意識が混濁した。高熱のせいだ。

　和尚はひどく悪そうだ。ぜいぜいと息をして、時おり咳き込み、うわ言も言う。熱も引かず、悪寒で体を震わせ、唸(うな)り声もたてる。これは、いよいよ危ないという印象だ。老婆はいろりにかけていた鉄瓶を取り、和尚に白湯(さゆ)を飲ませた。続いて矢七にも飲ませてくれた。

　陽が落ちると矢七の方も熱が出た。絶えず悪寒に襲われ、体ががくがくと震える。これを見て老婆は、いろりの火を大きくしてくれた。遠くでは、地鳴りのような噴火の音が変わらずに続いて、地面の揺れもやまない。横になっていると、それがはっきりと感じられる。熱の中で聞く地鳴りは、地獄に誘われるようで恐怖だ。不気味な音が、さまざまな幻覚を作りだす。怯(おび)えてこれを聞きながら、ああこれでもう自分は死ぬのだと矢七は思った。

　しかし老婆は、桶(おけ)に水を汲(く)んできて手拭(てぬぐ)いを冷やし、矢七と和尚の額を熱心に冷やしてくれる。

「あんたは死んだらいけんのよ」

　お嘉は、矢七に向かって強く言った。

「婆ちゃんの声が解る？　聞こえる？」

　お嘉はそう言って、絶えず矢七に訊いてくる。

「はい、聞こえます」

矢七はかろうじて応える。しかしそれは、心配させたくなくて多少無理をしているのだった。時おり、お嘉婆ちゃんの声は聞こえなくなった。遠い地鳴りも、婆ちゃんの声も、大きくなったり小さくなったりする。天井はますますぐるぐると廻り、体の震えはいっこうにおさまらない。意識は絶えず遠のこうとして、これは眠いのとは違う。眠れば、それでもう死んでしまうのだ。

子供心にも矢七は、自分が死にかかっていることを理解した。ものを食べていないのは四日間と言ったが、では四日前までは毎日食べていたかというと、そういうわけではない。四日前に、握り飯を半分分けてもらったというだけだ。その前もまた、四日以上ものを食べていない。

「矢七ちゃん、矢七ちゃんや、聞こえるか？　婆ちゃんの声、聞こえるか？」

そういう切羽詰まった声が、少しは矢七の耳に届いてくる。だが返答ができなくなった。気はあせるのだが、体や声がいうことをきかない。

「ああ、体が震えて、息が荒うなってきたよ。平太が死ぬ時も、こんな様子じゃった。あんた、これは栄養が足りとらんのよ。何か食べんと、あんたこりゃあ死ぬよ」

お嘉婆ちゃんの声が必死になった。それから婆ちゃんは寂光和尚の方を向き、あっちの様子も診ているらしい。どうやらあっちは、もっとよくないようだ。お嘉婆ちゃんは矢七の方に体を戻してきて、大きく溜め息をついた。

「何の因果かねぇ、うちは平太を死なせてね、辛かったよ。何日も何日も泣いたよ。そしたら次にあんたが飛び込んできたんよ。婆ちゃん老眼で、目がよく見えんからねぇ、こうして暗い中であんた見とると、平太が生き返ったような気がするんよ。うちはあの世に行く前に、孫が続けて二回も死ぬのを、じっと見にゃいけんのかいのぅ、難儀なことじゃなぁ……」

そうつぶやいた。それからまた寂光法師の方に向かい、しばらく手を合わせていたが、やがてこんなふうに言う。

「お坊さんや、偉いお坊さん、教えてくださらんかいね、私はどうしたらいいかね、うちはこの子、助けたいよ。爺ちゃん死んでもうふた年、早いもんじゃ。孫の平太死んで、近所の者も死んで、そしたら旅のお坊さんもうちで死ぬんか。この矢七もまた、一緒に死ぬんかえ。これでええんかいね仏さま。こういうこと、あんたお許しなさるのかね、私は、何もできんのかね」

寂光法師の応える声はなかった。お嘉婆ちゃんは、いつまでもいつまでも祈っていた。胸の前で両手を合わせ、小さな彼女の姿が何度も何度も前後に揺れるのを、矢七はぼんやりと見ながら、意識を失った。

ふと、天国のようなよい香りで矢七の目が開いた。いろりには黒い鉄の鍋がかかって、鍋には木の蓋が載り、ぐつぐつとたぎる音とともに、香りのよい湯気が暗い天井に向かってたちのぼっていた。

匂いにつられ、矢七はわずかに上体を起こした。

「ああ矢七ちゃん、目が醒めたかいね。今大根を煮とるからね、味噌をつけて食べたらいい」

お嘉婆ちゃんの声がした。ああ、自分は夢を見ている、と矢七は思った。自分の強い願いが見せる、これは夢なのだ。その証拠に周囲は、夢に特有のあのぼんやりとした感じで、自分の手が触れているはずの布団も、枕も、ふわふわとして実感がない。それに何より、いろりの前にすわるお嘉婆ちゃんのいでたちが、さっきと違う。あきらかに一張羅を着ていて、少し若返った。これも夢だからだ。

「はい、できたよ矢七ちゃん、はよお食べ」

茶碗に、白い湯気をあげる大根の切り身が入って、矢七の前にさし出された。白い大根の上に、味噌が少しだけ載っている。

「ああ、食べ物……」

矢七は思わず声に出してしまう。婆ちゃんの目がいっぱいに細められて、じっと矢七を見ている。箸がさし出されていた。全然気がつかなかった。矢七はそれを受け取った。

「はよ食べ、熱いからな、ようふうふうして」

お嘉婆ちゃんは、大根をふうふうと口で吹く真似をした。

箸を立てると、煮込まれた大根は柔らかく、かたちがゆっくりと崩れる。よく吹き、味噌を付けて口に入れた。天国のようなその甘い舌ざわり。ああ、夢なのに味がある、なんて不思議なんだろう、思いながら矢七は、夢中で食べた。

「まだあるよ、たんと食べなさい。でも、いきなりどんといっぱい食べたら腹が悪うなるからね、ゆっくり、ゆっくりとね」

そしてお嘉婆ちゃんは、うずくまり、寂光法師にも大根の煮込みを与えているらしい。和尚は、自分で嚙む力はなかなかないようだが、それでも少しずつ食べている。

大根の切り身をひとつ食べると、みるみる元気が湧いてくる。あいた茶碗を筵の上に置いたら、お嘉婆ちゃんがまたひとつ、鍋から大根のかけらを取って入れてくれた。蓋の付いた瀬戸物の壺から味噌を少し取り、大根の上に載せてくれる。

「婆ちゃんは?」

矢七は訊いた。

「婆ちゃんは、さっきもう食べたんよ、たんと。それより矢七ちゃん、はよ食べなさい、人のことはいいから」

矢七はまた夢中で食べた。あんまり幸せなので、食べながら涙が出た。世の中に、こんなおいしい食べ物があったのかという驚き、そして、死なないですんだという感謝の涙だった。

「婆ちゃん、ありがとう」

矢七は茶碗を脇に置き、その上に箸を置いてから、手をついてお嘉に礼を言った。

「何を言うてるんかね」

お嘉は言った。

「子供はそんなこと、いちいち気にせんでいいがね」

「ああ生き返った」

老人の声がした。寂光法師だった。彼もまたゆるゆると布団の上にうずくまり、お嘉婆ちゃんに向かって手をついて、深々と頭（こうべ）を垂れた。

「かたじけないことでございます。お世話をかけました」

「やめてくださいな、お坊さん」

婆ちゃんは言っていた。

「まだ駄目ですよ、和尚さん。まだまだ体悪いんですからな、ずっと寝ていてくださいよ。はよ、横になって。はよはよ、横になって」

お嘉婆ちゃんの助けで寂光は布団に横向きに倒れ、矢七の方はゆっくりと伸びあがった。土間のところに、奇妙なものが見えたからだ。何だろうと思ったのだ。

それは、おとなの両手ひと抱え以上もありそうな、巨大な丸い大根だった。それが、縦方向に真ふたつになっている。

「婆ちゃん、あれ……」

矢七は言った。

「ご禁制の大根、畑から盗ってきたんじゃないの？」

「何」

寂光法師も言った。この瞬間、夢の中にいるようなぼんやりした気分がさっと飛んでいき、一気に覚醒した。

「婆ちゃん、打ち首になるよ」

矢七は、激しい恐怖心とともに言った。自分らのために、婆ちゃんが殺される！　しかしお嘉はいっさい動じず、静かに笑っていた。

体に力が入らない矢七は、布団をおり、筵の上を這って、表戸のところまで行った。柱にすがってようやく立ち、障子戸を開けた。

堆く積もった灰、その中央に、人が通れるくらいの通路ができている。障子戸にすがって立ち、矢七は表通りを見渡した。そして、ああと絶望の声をたてた。

降灰が停まって、空気は澄んでいた。お嘉の家は、坂の上に建っている。家の前の道は、坂でずっと下っており、目で追うと先に広い畑が見えていた。その畑から始まり、坂をのぼり、お嘉の家の前まで、黒く太い筋が一本、白い道の中央に続いていた。道が灰で白く被われているので、黒い筋はくっきりと印されれ、夜目にも畑とお嘉の家とを結んで鮮やかだった。

お嘉婆ちゃんが畑から大根を盗み、ずっと家まで引きずってきた跡だ。これでは誰が大根を盗んだか、誰の目にも一目瞭然だ。

「婆ちゃん、黒い筋が……」

「矢七ちゃん、あんたは心配せんでいいんよ」

お嘉が、奥から静かに言った。

「私はもう充分に長生きしたからね。私は今、満足しとるんよ。おととし爺ちゃんが死んで、私はもうあの時に死んだの。今のこれは、おつりのようなものじゃけ。和尚さんに拝んでもろうて死ねりゃ、うちは本望じゃ」

「でもあの跡、黒い線が……」

「婆ちゃん一人じゃ、とってもその大きな大根は持てんけ、じゃから引きずったん。近所の人頼んだら、その人も捕まるからね、捕まるのは婆ちゃん一人でええんよ」

「でも線、消したらどうかな。今は灰が降るの停まっているから、消さないと、自然には消えないよ」

矢七は、今にも表に出ようと焦った。けれど、体が衰弱していて動かない。相変わらず眩暈が続いている。

「消したらいかん。誰がやったか解らんようになったら、村のみんなが疑われる。やった者がはっきりしとった方がええんよ」

「でも……」

「畑の土が掘り返されとるのは、もうはっきりしとるからね。線だけ消しても、大根ひとつないのは明日の朝には解ることじゃけ。あんたらは心配ない、捕まるのは盗った者だけじゃから。食べた者にはおとがめはないよ。じゃから近所の家にもみんな、切り身投げ込んでおいた。これでみんな、しばらくは助かる」

「お嘉さん、あんたはそれで」

　苦しげな和尚の声がした。

「和尚さん、うちは現世で充分な功徳は積んどりません。じゃからお経、ようあげてやってください、いいとこへ成仏できるようになぁ。うちは十日ほど前に、孫死なせてしもうた。平太が苦しんで、死にかかっておる時も、あの時もはよう、こういうようにすればよかった。躊躇をするんじゃなかったです。

　でもうちはいくじがないからね、孫が助けられんかった。うちはそれから毎日泣いたです。もう悔しうて、悔しうて。そしたらあんたらがうちに来てなあ、うちは、仏さんがうちをもういっぺん試してなさると、そう思うたです。じゃから、またこの子を殺してなるもんかと、私は思うたです。今度は助けるです、なんとしても助けるです。私は、もう充分に生きましたから」

お嘉は淡々と、そう説明した。

そうか、それで婆ちゃんは一張羅を着ているんだ、矢七は思った。死出の旅を覚悟したので、一番いい服を出して着たんだ、そう知った。

寂光法師が、むくむくと起きあがっていた。そして脇の数珠を取って手首にからめ、布団の上で念仏を唱えはじめた。しばらくして中断し、

「お嘉さん、私は動けんです。でも今こそ御仏(みほとけ)の力、見せるです」

寂光はしわがれ声でそう言い、それからまた一心に念仏に戻った。

5

「というようなわけなんです」

御名木は物語を語り終え、私に言った。

「そのように書いてあるんですか?」

私は訊いた。

「そうなんです。父が私に譲ってくれた『大根奇聞』には、そのように書いてある」

「その後はどうなるんです？」

「それがないんです」

「ない？」

「はい、ありません」

「書かれなかったんでしょうか」

「そうかもしれません。あるいは、書かれたが、紛失したのかもしれない」

「ふうん……、この『大根奇聞』というのは、酒匂帯刀によって書かれたんでしたね？」

「そうです。この事件からずうっと時代がくだって、明治になって書かれるんです。彼が明治政府の要職を経て、鹿児島に戻って谷山で余生を過ごしていた晩年に書かれていて、日付は明治三十一年となっていますからね、飢饉からちょうど六十年が経過しているんですね。封建時代の昔話という感覚で、酒匂は書いています」

「今のお話だと、酒匂矢七や寂光法師が、打ち首になっていておかしくないという……」

私が言った。

「いや、そういうことじゃないですね、まあその可能性もそれはあったでしょうが、打ち首の対象は、あくまでお嘉さんですね。ご禁制の大根を畑から盗んだのは、これはお嘉さんですから」

「はい」

「ところがこのお嘉さんが、それから六年後の弘化元年に寂光法師が書いた『起草綴』という、薩摩の新庄川に橋を架けるまでの記録なんかを綴った随筆本に、ちょっと登場してきているんです」

「えっ、生きてですか？」

「そうです」

「お嘉さんが生き延びていると」

「そうなんですよ。新庄川の寂光による架橋は、これは天保十三年のことと、藩の公式記録文書にも遺っています。だから信頼できるんですが、この年、ですから薩摩藩の天保の大飢饉の四年後ですね。この年まで、お嘉さんは生きていたことがはっきりしているんです。つまり、天保九年に打ち首にされていない。これが解らない、まったくの謎なんです。どうして彼女は、あんなことしたのに、時のお上に殺されずにすんだのか」

「そのお嘉さんという名前の人、同名の別人ということはないんですか？」

　私は訊いた。

「いいえ、それは絶対にないんです。というのは、寂光法師が、六年前に自分が行き倒れになって死にかかっている時、助けてくれた恩人というふうに、『起草綴』にはっきりと書いているんです。だから、別人のはずはないんです」

「ふうん、そうですか……」

　私は考え込んだ。

「それから矢七の苗字は飢饉の年にはまだ清水ですね、清水矢七」

「ああそうか」

「その翌年か翌々年に、鹿児島の酒匂家にもらわれて、養子に入るんです。寂光ゆかりの寺の縁ですね。だから、寂光法師が新庄川に橋を架ける工事をする頃には、もう矢七は寂光のもとにはいないんです」

「なるほど、寂光さんは寂しくなるんですね」

「まあそうです。しかし、矢七にはその方が幸せだという考えが、寂光にはあったんでしょう、自分が連れていて餓死させかけたんだし、矢七は聡明な子供でしたからね」

「はい」

「それに自分にはもう先がないという考えもあったでしょうし。寂光法師は、亡くなる二年前に、新庄川の架橋に最後の情熱をかけるんです。というのは、この新庄川の近くに禅宗の寺がありまして、寂光は禅宗の坊主なんですね。この檀家の人たちを使って工事をするんですが、そこにお嘉さんが偶然通りかかるんです。その時の情景を『起草綴』で描いているんです。そして橋が完成して、名前をつける段になって、寂光橋という案を寂光自身が蹴って、『嘉の橋』とつけるんです。この橋は今も遺っています」

「なるほど、じゃあ間違いないですね」

「間違いないんです」

「飢饉というと、事態が事態ですから、お上の方も民に配慮して、お目こぼしをしたということはないいんでしょうか。お嘉がやったとは解っていたが、隣近所の者の命も助けたわけだし、打ち首は取りやめたと……」

「いや、それが考えられないいんです。まず第一に、天保九年のこの年、魚を盗んだ者を六人も死罪にしているんです。非常の事態ですから、軽々にお目こぼしをやっていては、みなが同じ行動をとりだして争乱にもなります。みな死にかかっているんですから地獄の餓鬼です、何をするか解りません。革命だって起きかねない事態です。藩がたちゆかなくなる可能性だってある。行政側も必死ですよ」

「うーん」

「天保の飢饉の薩摩の餓死者は八千人といわれています。放っておいたら、民の大半が殺し合って死ぬ可能性だってある。すると薩摩藩は消滅、お取り潰しです。この年の唯一の食料である大根を盗んだ者を、お上が放っておけたはずはないです」

「なるほど」

「次に、たとえお目こぼしにあったにしても、その前に、いったんしょっぴかれはすると思うんです。当時は自身番とか年寄りなんかによる自治制度が村にはあったようですが、お嘉のものは、これは奉行所が乗りだす事件のはずです。そうしたら寂光法師が、『起草綴』の中で何らかの描写をすると思うんです、そういった顚末を」

「書いてないいんですね？」

「いっさいないんです」

「それはまずいから伏せたというようなことは、ないんでしょうか」

「いや、これは寂光個人の覚え書きですから。大勢への発表を意識する類のものじゃないんです。事実『起草綴』が発見されたのは彼の死後で、明治になってからなんですが、しかし万一誰かに読まれた時のことを寂光が考えたにしても、お嘉が奉行所に引ったてられた、と書くことくらいは別に問題はないと思うんですね」

「ああそうか、そうですね。もしお目こぼしになったのなら……」

私は気づいて言った。

「そうなんです。お目こぼしになったのだったら、逆に大っぴらに書けるというものでしょう。これは当然後世に書き遺すべき、感動のストーリーと考えられてしかるべきです。だったら天保九年の飢饉の時のお上の温情裁きについて、寂光は詳しく書いている方が自然です。書いていないということは、そんなことはなかったんです」

「うーんなるほど、ということは隠すべき何かがそこにあって……」

「そうなんです」

「それは絶対にお目こぼしなんかではないと」

「そうなんです」

「どう考えても打ち首になっていなくてはならないんですね、お嘉さんは。当時の封建的な体制、体質からすると」

「そうです。それか逮捕です。どちらも起こっていない。だから謎なんです。何故なのか。どうしてそんなことが起こったのか。もし寂光や矢七が大根の窃盗を意図的に隠したのなら、いったいどうやったのか。そんな知恵とか方法が、あの時にあり得たのか。とすればそれは何なのか。しかし、みんな飢饉でものを食べていない、体力は極端に落ちていたはずです。力仕事はとてもできないと思うんですね。

　私の父は、郷土史の研究で出遭ったこの謎をどうやらずっと考えていたらしい。謎はいくつもあったらしいんですが、一番ささいなこの謎が、結局一番手強(てごわ)かったというわけです。これだけは解けずじまいですね」

「うーん、なるほどな。面白い謎ですね」

「だから父は、私に託して逝ったんです。それで私もこの謎を考えるようになって、どこかに酒匂帯刀の『大根奇聞』の後編が紛れ込んでいないかとか、ほかの人がこのお嘉さんの事件の裏の真相を書いていないかと思って、全国の図書館に、幕末の和本の類が保管されてあったら、できるだけ覗いてみるようになったんです」

「なるほどねぇ」

私は感心した。

「私はね、いつか石岡さんや御手洗さんにお会いできる機会があったら、この謎についてご相談してみたいものだなと、ずっと考えていたんです」

御名木は言った。

「はあ」

私は応えた。それからしばらくじっと考え、久しぶりにこんな問題で議論してみたくなった。難解な刑事事件というわけではないから、私などが取り組むのにこれは手頃な謎のように思われた。

「『大根奇聞』は、後半が紛失したんでなく、書かれなかったという可能性はないのでしょうか。だって、隠したい事柄だったんですから」

私は言った。

「隠したいというのは……」

「だって、『起草綴』には書かれていないのでしょう？」

「いや、それは寂光法師には、ですね」

「寂光法師は隠したくても、酒匂にはそうではない？」

「だって寂光が『起草綴』を書いたのは、これは弘化元年です。酒匂が『大根奇聞』を書いたのは明治ですから、事情が全然違います」

「ああそうか、まだ幕府があった頃ですね、寂光法師の頃は」

「はいそうです。へたなこと書いて事実が露見すれば、お嘉さんは打ち首です。飢饉からまだ六年しか経っていません。しかし酒匂が『大根奇聞』を書いた頃は、もう明治の御代（みよ）で、体制が変わっています。それにもうお嘉さんはこの世にいません。加えて酒匂は、時の政府中枢にも顔のきく偉い人になっているわけですから、これはどの角度から見ても、酒匂に隠す理由はないんです。もう時効の昔話です」

「ああそうか」

「だから私はきっと書いたと思いますね。紛失したんであって、きっとどこかには遺っていると思います。というのは、父親が持っていた『大根奇聞』は、これは筆耕なんです」

「筆耕といいますと？」

「写しなんです。誰かがコピー、書き写したんですね。それを父は手に入れていたんです。だからこの筆耕者が途中でやめているのかもしれない。どこかにはきっとオリジナルがあるはずなんですがね」

「その人がやめた理由というのも、何かあるかもしれませんね」

「そうですね、あるかもしれない。でもこれはもう解らないです。とにかく石岡先生は、トリックの専門家でいらっしゃる」

「え、ぼくはとてもそんな者じゃないです」

私は驚いて言った。話が、私の予想しない方向に向いた。

「こういう場合、お嘉が自分の罪を露見させないためのトリックというものは、何かあるものですか」

「うーん」

私は腕を組み、唸りながら考えた。

「ともかく、隠したいなら道の灰の上に残っていた黒い筋、大根を引きずった跡ですね、これは消しますよね、当然」

私は言った。

「はい」

「しかし……」

「畑から大根が一本消えているのは、これは翌朝になれば露見しますね。代官陣屋からの見廻りが、どうやら毎朝来ていたようなんです」

御名木は言う。

「そうですか」

「以前は、見張りが夜っぴて立っていたようなんですが、地面に灰が降っていて、大根を盗んで引きずったら跡がつくからということで、見張りを立てなくてよいという話になったようなんです」

「大根は、引きずらなくては運べないような大きなものだから、ということですか？」

　私は訊く。

「はい」

「引きずったら家まで跡がつくから、誰がやったか解ると。だからみんな盗まないだろうと。しかし、引きずらなければいいんじゃないでしょうか。男が二人ほどやってきて……」

「いや、二人でもきついらしい、この大根は蕪みたいな格好の、球形をしているので持ちにくいんです、大の男の体重くらいもあったらしいから。だから餓死しかかっているような村人たちには、とても二人でも持てないらしかったです。三人なら大丈夫でしょうが、男三人となると、勝手に行動できないような仕組みができていたらしい。村の自治組織ですね、互いに干渉し合うようになっていて、年寄りの許可も必要で、まあ共産主義社会のような、隣組制度ですな」

「ふうん」

「ですから、畑に見張りを立てる必要はないという判断になったらしいんです。それで夜には見張りはいなかった。だからお嘉さんは大根を簡単に盗めはしたんだが、やはり引きずるしかなかったので、地面に一目瞭然の線を付けてしまった」

「なるほど、とにかくこの筋を消したとしますね、そしてそれがうまくいったとする。そうしたら、次は翌朝の見廻りをごまかす必要がありますね」

「うーん、はい」

御名木は考えながら返事をする。

「大根の葉っぱの部分を土の上に出しておいたらどうでしょう」

「いや、お嘉さんは、大根を縦方向に真ふたつにたち割ってしまったということでしたね、葉っぱの半分がもうないんじゃないでしょうか。近所のどこかの家に放り込んでしまったと」

「そうなんですか?」

「私にはそんなふうに読めました。だからお嘉さんの家には、盗んだ大根の上部、葉っぱ部分は半分しか残っていなかった。それに、葉っぱ部分を畑に持っていって、土の上に出してカムフラージュしたにしても、その葉がもつのはせいぜい一日か二日でしょう。すぐに枯れるんじゃないですか、そうしたらお代官にばれるでしょう」

「そうか、一日二日じゃ駄目なんですね」

「そう、たとえばこういうこともあるでしょう。夜中にこっそり畑に行って、大根を掘り出して、この一部分のみ包丁で切って、残りをまた埋め戻しておくと、こうしてもやっぱり土の上に出ている葉っぱが枯れるから解るんじゃないでしょうか」

「数日から一週間くらいで枯れるんでしょうか」

「はい」

「じゃ、どのくらいもてばいいんでしょう。何日くらい隠せれば」

「ひと月ですね」

「ひと月も！　十二月までですか、どうしてです？　どうしてひと月と？」

「十二月十日に、筑前から救済米が届くんです。続いて琉球から海産物が来て、薩摩はそれでなんとかひと息つくんです」

「ふうん、その間大根は？」

「代官が馬車で来て、毎日ひとつないしふたつずつ掘り出して、お城に運んでいったようですね」

「そうか、その時にばれるのか。もし一本でもなくなってれば」

「そうなんです、代官は、持っていく際に畑を点検したようですから」

「ふうん、じゃあこの時は、ひと月間もそれがばれなかったと、そういうことになりますか？」

「そういうことですね」

私はじっくり考えた。しかし、結局こう言うほかはなかった。

「そんな方法はないでしょう」

そんなことができたら魔法だ。

「ないと思いますね」

御名木も言った。

6

一人になってからも私は、「大根奇聞」について考え続けた。どうにも気になってたまらない。何かが気になると、私はほかが手につかなくなるところがある。これは御手洗の性格が伝染したのかもしれないが、自分で言うのもなんだけれども、これでなかなか繊細なところがあるのだ。

天保九年が西暦で何年にあたるか、日本史の年表で調べてみた。西暦ではこれは一八三八年になる。寂光法師が「起草綴(きそうつづり)」を書いた弘化元年は一八四四年、酒匂が「大根奇聞」を書いた明治三十一年は、一八九八年だった。

御名木に述べた通り、御名木が話してくれたような前提であれば、お嘉さんが打ち首をまぬがれる道はないと思う。三人で即刻逃亡したとしても、年寄りの足だ、いずれは追いつかれる。また逃亡は考えられない。何故なら、矢七は間もなく地もと薩摩の武家に養子に入るわけだし、寂光もまた薩摩の地に留まって、架橋工事にせいを出している。罪人や逃亡者にはこれは考えられないことだ。

そうなると、あと考えられる可能性はひとつだけだ。寂光法師と矢七とが、揃って嘘をついたということである。このことは御名木には言わなかったが、時間を経るにつれ、だんだんに私の頭を占めるようになった。言わなかったのは、教授と別れてから頭に浮かんだことだからだが、御名木といる時に浮かんでも、私はやはり言わなかったろう。

この日常世界で私は、自分もそうだが多くの凡庸なる、ということは、弱い大衆たちと知り合った。彼らとつき合うにつれ、私は彼らの自己愛、特にこれの処理というものについて多くを考えるようになった。誰も、自分を助けるために他人が死んだとは思いたくない。まるでか弱い幼児のように、行きずりの他者に助けられ、ましてこの救済者が女性で、高齢で、しかもこの女性が、自分を助けることで殺されたとは思いたくない。こんな展開は、男としては堪えきれないほどの屈辱だ。あまりにも自分がみじめで、侍ならずとも腹をかっさばいて死にたくなる。私だってそうだ。

だから寂光、矢七の二人ともが、お嘉は死ななかったことにしたのではないか。現実には天保九年十一月十一日の朝、畑から大根がひとつなくなっていることは、町奉行か代官陣屋の者が発見しただろう。すると代官の手の者は、道にくっきりと印された跡をたどってお嘉の家に行く。当然お嘉は召し捕られる。引き立てられ、お白州(しらす)裁きになって、彼女の打ち首はたちまち判決される。秩序維持の見せしめとして、刑はすみやかに執行されるだろう。刑場で、群集に混じってこれを見ながら、寂光は懸命に念仏をあげる——、こんなあたりが現実ではないかと思うのである。これ以外に、無力な二人にいったい何ができたろう。

しかし、それではあまりにプライドが傷つくから、寂光法師は、六年後に書いた「起草綴」で、生きたお嘉に再会した話を創作した。新庄川の架橋工事中に、お嘉の亡霊が通りかかり、と——、そうだ、まさしくそれは、寂光にしか見えない亡霊だったのではないか。寂光は生き延びたお嘉の幻を描くことで、自らの劣等感をわずかでも癒し、生きる糧を得たのではないか。

そのように考えると、寂光法師の晩年の行動がよく説明される気がした。寂光が、あまりに深い自信喪失を得ていなければ、矢七を手放すこともしなかったのではないか。お嘉、矢七、これらの贖罪として、新庄川の架橋工事はあったのではないか。その証拠は命名だ。二年後に死ぬという者が、橋に自分の名前を遺せるという名誉を眼前にして、これを蹴るなどということができるだろうか。お嘉に対する罪の意識があったればこそ寂光は、自分の名でなく、お嘉の名前を橋に遺したのではないか。身を棄てて矢七と自分を生かしたお嘉を思えばこそ、寂光もまた、自分を捨ててお嘉の名を遺したのではないだろうか。

それから矢七だ。酒匂家に養子に入った矢七は、当然寂光法師の筆になるこの随筆を読んだろう。これによって彼は、自分も口裏を合わせる決心をしたのではないか。こういう矢七の決心は、お嘉の死だけでなく、恩人寂光の死によってもますます強くなる。だから事件から六十年の時を経た自著の内でも、酒匂はお嘉が打ち首になったとは書けなかったのではないだろうか。

そうだ。そう考えると酒匂の「大根奇聞」の奇妙な中断にも、よく説明がつく。これは結末部分の紛失ではなく、彼の筆が実際にそこで止まっているのだ。彼はこれ以上を書きたくなかったのではないか。本当のことは書きたくない。書けば恩ある寂光の名や、偉業に傷がつく。しかし、嘘もまた書きたくはないのだ。書いていけないという法的な規制はもうまったく存在しないし、また晩年にさしかかって、書いて遺すという意味合いが強いこの随筆でまで、あえて嘘は書きたくなかったろう。そんな葛藤と逡巡を経て、酒匂の綴る物語は、十一月十日の宵で中断してしまったのではないか。その後にあった事実は、私が右に書いたことなのだ。

そこまで考えた時、私は自分のこの推察が当たっていることを確信した。残念なことではあるが、現実はさほどロマンティックなものではない。これ以外に、いったいどんな展開が許されるというのか。みな弱い者なのだ。それとも寂光の必死のご祈禱が霊験あらたかで、仏がお嘉のもとに現れ、捕縛に駆けつけた町奉行の手勢をあっさりしりぞけたとでも言うのだろうか。あり得ないことだ。

そして、私はもうそこで考えるのをよした。この問題にはここできりをつけることにしたのだ。事実はこうだ。みな精一杯やった。どこに罪人がいるのか。いたずらに現実を掘り起し、あえて失望を求めるのはやめにしよう。これは奇談なのだ。ホラーなのだから、それでいいではないかと思ったのだ。

平成八年の五月は、まだスウェーデンに行った御手洗が、馬車道の私のところに時おり電話をかけてきていた頃だった。そうだ、思えばあれは最後の電話になる。一年後に私がFAXを入れるまで、あの時の通話を最後に、私と御手洗との通信は途絶えたのだ。

とはいえ、彼からかかったこの最後の電話の内容が、格別劇的だったわけではない。いやいや、これまでで最も散文的であった。ベルの音に受話器を取ると、いきなりけたたましい声がこう言った。

「石岡君、ぼくの部屋の書棚の、一番上の段の左端に『ベル・カーヴ』という本がある。リチャード・ヘレンスタインと、チャールズ・マーレィの共著だ。この二百七十九ページの図面をコピーして、今から言う番号にFAXしてくれないか。『ザ・ブラック・アンド・ホワイト・IQ・ディストリビューション・イン・ザ・NLSY』と書かれているはずなんだ」

「な、な……何だって」

何が起こったのか全然解らず、私はうろたえた。

「図面だよ石岡君、図面だ、大事なものなんだよ」

「だ、誰だ？　御手洗か？」

私はようやく言った。

「ああ、そうだよ君、忘れたのかい？」

御手洗はせかせかと言った。どうやら外国語を話している途中でかけたか、それとも終わったばかりでかけたらしく、声に変な訛があって、聞き取りにくかった。

「今、君、何、仕事中で、だから……」

「ＯＫ、シーユー、バイ」

御手洗がちょっと英語を言い、それから何か別の言語をつらつらと言った。言い終わると、がらがらと何かをひっくり返す音がした。舌打ちと、何かをののしっているらしい聞き馴れない言葉。

「おい御手洗、御手洗」

私は言った。聞こえなかったのか、御手洗はＦＡＸのものらしい数字を、これは感心に日本語で言った。えらく長い数字の羅列だったが、私は書き留めた。

「御手洗、おい御手洗」

「ああん、何だい、聞き取れた？　書いたかい？」

「え？　うん書いた。いったいどうなってんだい、そこ、どこ？」

「大学だよ、ああ帰っちまった。ＯＫ、いいよ、もう焦らなくていい。あとで送ってくればいい。たまにはゆっくり話そうじゃないか。どうしてる？　元気かい？　さて、君の近況なんかを聞こうか」

　と、焦っていたのは自分のくせに彼は言った。

「あ？　え？　それはありがたいお言葉だね、ぼくのこと、まだ憶えていてくれたのかい？」

「憶えていたともマイオラノス君、寝ても醒めても君のことを考えていたさ。あれからそっちのハイブリダイゼーションは、うまく進んでいるかな」

「え？　あの、御手洗君、君、なにか混線しているよ、誰かと間違えてる」

　私は死ぬほど焦って、椅子からおろおろと立ちあがった。

「あはは、冗談だよ石岡君。君だって解っているよ」

　御手洗はさっさと言った。

「な、なんだよ、まったくもう、びっくりしたなー」

　すっかり冷や汗をかいた。

「そっち、何か変わったことはあるかい？」

「別にないなぁ、最近はというと、御名木さんという大学教授と知り合ったことくらいで。法学部の教授なんだ」

　私は言った。

「ふうん、法学部か、またなんで？」

　私はそれで、彼との出会いの経緯について、少し話した。

「そうそう思い出した。それで、彼が言ってたっけ。もし君に会えることがあったら、相談したい謎があるんだって」

「謎？　どんな？」

　御手洗も、少し興味をひかれたようだった。

「今、話してもいいのかい？」

「いいよ」

　彼は言う。

「彼のお父さんの遺言なんだって。日本史の謎なんだ。天保九年に薩摩で起きた大飢饉の時のことなんだけど」

　言って、私は話しはじめた。一人になってからもずっと考え続け、メモもとっていたから、自分ながら、なかなか要領よく話せたと思う。御手洗も、私の説明に格別不満は言わなかった。なにしろ江戸時代の話だから、細部にわたって伝える事柄もない。

「そういうわけなんだ」

終わると私は言った。

「なるほどね。このお嘉という人が、何故打ち首にならなかったかが謎なんだね？」

御手洗は言う。

「そうなんだ」

「で、君はその理由を、寂光法師と酒匂帯刀という人が、それぞれ自分の随筆において嘘をついているせいではないかと、こう考えるんだね？」

「そう、だってそれ以外に考えられないだろう？」

私が言うと、御手洗は返事をせず、ちょっと沈黙ができた。

「違うのか？」

もう一度、私は訊いた。もし違うなら驚きだ。

「それじゃどこにも『奇聞』がない」

御手洗が言った。

「『奇聞』が？」

「大根が巨大だってことが『奇聞』かい？　鹿児島の人には珍しくもないだろう？　それとも飢饉が『奇聞』？　日本中にあったことだぜ。『大根奇聞』とわざわざ銘うって、しかも明治三十一年になって嘘を書くのかい？」

御手洗が言った。

「だって、後半が書かれていないんだよ、この随筆」

「いや、間違いなく書かれているさ、いずれ出てくるよ」

御手洗は、自信ありげに断言した。

「ええっ、またどうしてそう思うんだ？」

私はびっくりした。

「翌日何があったかを作者は書きたかったのさ、賭けてもいいね」

私は思わず沈黙した。そんなふうに言い切られると、時空の亀裂でも一瞬垣間見せられたような心地がする。

「どうしてそう思う？」

「嘘をつくくらいなら、黙っていればいいからさ」

「黙っていれば？　どういうこと？」

「だって酒匂さんて人は、『大根奇聞』を書くことを誰かに強要されていたわけじゃないだろう？」

「ああ……それはむろん違うだろうね」

「自発的に書いたんだ。放っておけば確実に歴史に埋もれていくのに、わざわざだぜ。六十年ものちにわざわざ筆をとって、嘘を書く理由があるかな。彼には、きっと何か書きたいことがあったんだよ。それはたぶん、寂光法師も書きたかったことなんだ」

御手洗は言った。

「寂光法師も……？」

「そうだよ、彼ら二人の心を強く動かした何かだ。だけど、寂光法師は書けなかった。当時はどうしても許されないことだったんだ。だから、できるようになってから酒匂帯刀さんが書いたんだよ。和尚さんに代わって、死ぬ前にね。たぶん、彼のこれまでの心残りだったんだろう」

　しばらくじっと考えていたら、御手洗は、さらにこんなことを言いだす。

「二人はずいぶん震えているね」

「はあ？　それは餓死しかかっているんだからね」

　私は言った。

「だけど、じゃあ君は、あの時お嘉婆ちゃんが本当に生き延びたと、打ち首にならなかったと、その可能性があるっていうのか？」

　そう私が言うと、さすがに御手洗もいっとき唸(うな)っていた。

「まさかそれはないだろう。そんなの、どう考えたってあり得ないだろうに。あんな時、あんな状況で。八方塞(ふさ)がりだぜ」

「いや、ひとつだけある」

　御手洗が言ったので、私はど肝を抜かれた。

「何？　どんな？　どういう可能性！」

私は思わず叫んでしまった。

「天保九年は、西暦では何年なんだ？」

「一八三八年」

即座に応えられる。さっき調べたばかりだからだ。

「一八三八年の、十一月十日だったんだね？」

御手洗は念押しする。

「そう、そうだけど……」

「それは新暦で？」

「新暦？」

「グレゴリウス暦で十一月十日なんだね？」

「え？　いや、グレゴリウス暦……、そんなふうには……」

「つまり、その古文書に十一月十日と書いてあったんだね？」

「うん、そう」

「では旧暦だ、よし解った」

「御手洗、まさか……」

「調べてみる、ちょっと時間くれないか。今ちょいと忙しいしね。だけど、一週間以内には電話できると思うよ」

御手洗は言う。

「調べるって何を。天保九年の薩摩のことだぞ、江戸時代だよ、君、解ってるのか？」

「タイムマシンに乗るさ。それより『ベル・カーヴ』の図面頼むよ石岡君、ではさようなら！」

電話は切れた。私は受話器を握りしめ、茫然とした。生き延びた可能性があるだって

——？

7

居間のデスクに置いたＦＡＸマシンが、突然おかしな図面を吐き出した。等高線に似た曲線が画面いっぱいを埋め、一見するところ、山岳地帯の地図に似ていた。しかし、どうやらそうではない。ところどころにＨとか、Ｌとかの文字や、数字が見える。

手に取り、私は縦位置、横位置、それからさかさにしたり、またもとの角度に戻したりしながら図面に見入った。何の図面か解らなかったし、どこから来たのかさえも不明だった。画面の上端に、意味不明のアルファベットが並んでいる。ＦＡＸの番号でなく、どうやらインターネットのアドレスであるらしい。いったい誰が、どこからこんなもの

を送ってきたんだろうと悩んでいたら、電話のベルが鳴った。

「石岡君、図面は届いたかい？」

いきなり問われた。

「え、誰？　御手洗か？」

御手洗だった。

「今手に持ってる？」

「うん」

「グッド。じゃ時間がないからよく見て。左側に千四十という数字が見えるだろう？　それとH。右には千だ、そしてLという記号もある」

「ああ、ある、あるけど……」

私は大あわてで図面上に目を這わせる。どういうわけか御手洗と話す時、私は必ず馬車馬のように追いたてられるのだ。

「この図は、左側が千四十ヘクトパスカルの高気圧、右に千ヘクトパスカルの低気圧があることを示している。Hというのは高気圧のこと、Lというのが低気圧だ、解るよね？」

「え？　ま、それ自体は解るけど、だけどそれが……」

「この両者の中間に気圧の谷間ができる。するとそこの気温は下がることが多い。この実線は等圧線だけれど、破線、つまり点線は温度線を示す。HとLの中間あたりに、マイナス三十八という数字が見えるだろう?」

「あ? ああ……」

「これが寒気団。その外側周辺はマイナス十五度、そのさらに外側はマイナス十度というふうに、外側へ行くほど気温があがっていってる」

「ああ、なるほどね、そ、それは解ったが……」

だがそれがどうしたというのだ。いきなりそんなことを言われても、こっちにはわけが解らない。

「これは西高東低という、典型的な日本の気圧配置だ。大陸に乾いた高気圧ができ、日本上空とか太平洋側には低気圧がいる。そしてこの中間の気圧の谷は、通常日本海上空にできる。日本海には暖流が流れていて、比較的暖かい海だ。ここの湿気を横切るかたちで大陸から日本列島に向け、季節風が吹く。それが日本列島の脊梁(せきりよう)山脈に遮られて……」

「ちょ、ちょっと待ってくれ御手洗、いきなり言うな。何のことだか全然解らないじゃないか。これは何だ、日本海か?」

すると、例のいらいらしたような舌打ちが聞こえた。

「ちっちっ、九州に決まっているだろう君!」

「き、九州？　これ九州か」

「下に九州の地図が見えるだろう？　ぼんやり」

私は目を皿のようにして図を見た。しかし何も見えない。別に老眼のせいでもないようだ。どこにも地図などはない。

「見えない、見えないぞ」

私は言った。

「ああそうかい、じゃ地図の線は、感熱紙には出なかったんだな。これは九州の上空なんだよ。日本海上空の強い寒気団は、徐々に上昇して、北西季節風となって日本海側に押し寄せる、そして脊梁山脈に当たって遮られる、これが日本の冬の通常の気圧配置となるわけだが」

「はあ……」

どうしていきなり天気予報の講義が始まったのだ！

「だがこの寒気団が、この年は九州南部に居すわっている」

「ちょっとちょっと、これ、何なんだ？　この図面は、どこから……」

「ペンタゴンの、ウェザー・シュミレーション・システムズの友人に頼んで作ってもらったんだ」

「ペンタゴンて？　あの？　アメリカの？」

「そりゃそうだよ、米国防総省」

「アメリカの国防総省は、天気予報もやっているのか？」

「君、戦争と天気予報は密接に結びついている。天候がおうおうにして戦争の勝敗を分けるんだよ。アメリカは、軍事用の天気予報が世界一進んでいるんだ。ピンポイントの予想もできるし、過去の天気のシミュレーションもできる。まして十九世紀なんてね、いかに極東でも先月みたいなものさ」

「え、これ、つまり、十九世紀の九州の？」

だんだん私の思考が、お先走りの現実に追いついていく。

「そうだよ、一八三八年、十二月二十六日の天気図だ」

「一八三八年？　それ、何？」

「君君、一八三八年なんだろう、問題の日は」

「え、じゃこの気象図は、天保九年の十一月十日の九州？」

「いや、十二月二十六日だ」

「十二月？　なんで？　十一月だよ」

「新暦なんだ。旧暦の一八三八年十一月十日は、グレゴリウス暦では一八三八年十二月二十六日なんだ」

「へえ！」

私はびっくりした。

「じゃこれは、天保九年の、新暦で言うと十二月二十六日の九州」

「南九州」

「十一月十日って、十二月二十六日のことだったのか」

「そうだ。もう年末だね」

「知らなかった。旧暦だったのか……。で、でも、そんなことができるの？」

「例年の気圧配置のパターンに、あらゆる文献から採った気象情報、地上、海底の火山、海流、空気の流れ、動植物に鉱物の分布と移動、人口の分布と比率、熱の分布、そういう地球情報に、太陽風、黒点、月の配置、衛星写真の解析と敷衍（ふえん）、それら地球外の情報も加味してコンピューターに入れ、修正、演算、シミュレーションして出したものがこの図面なんだ」

私はまったく息もできなかった。

「千四十ヘクトパスカルの高気圧が中国大陸上空にある。そして、千ヘクトパスカルの低気圧が小笠原諸島上空にある。気圧の谷間は大隅（おおすみ）諸島のやや西。つまりこのあたりに寒気団がいたと考えられる。これは十二月の気圧配置としてはなかなか異例だ」

「はあ……」

と私は言った。はあと言うしかないだろう。

「石岡君、これが何を意味するか解るかい？」

「解らない」

「雪だ」

「え……」

その一瞬だった。私の思考は凍りついた。この瞬間、御手洗が言わんとしていたことが解り、電流のような衝撃が、私の体を貫いた。

「大雪だよ石岡君。旧暦十一月十日、南国薩摩に珍しく大雪が降ったんだ」

「ああっ！」

そうか、そうなのか！　思考がやっと追いつき、現実に追突して、私はおっとり刀で大声をあげた。

「雪が降ったのか、あの日の翌日、いや夜半か、雪が降ったのか！」

叫び、私は受話器を握ったまま立ちつくした。

「それも大雪だ、これは、大雪の気圧配置だぜ。二十四時間で五、六十センチというところかな、いや、もしかすると一メートルいったかもしれない。これは確かに奇聞だ、前代未聞だぜ」

「ああ、それで……」

息が詰まった私は、それ以上声が出せなかった。思考がついていかず、あたふたと、まったくみじめなほどに混乱した。しかしただひとつ、これだけは解った。まったく予想もしなかった、しかも完璧(かんぺき)な回答が、目の前に現れているということだ。

「それで、あの巨大大根を引きずった道の筋が隠れたのか、雪で……」

「道だけじゃない、大根畑も被いつくされたろうね」

そうか、そんなにたくさん雪が降れば、それは確かに——。

「しかも一メートルも積もれば、ひと月は溶けないぜ」

御手洗は愉快そうに言う。そうか、それで盗難が露見しないですんだのか！

「あ、そうか、それで二人はよく震えていたのか」

「ああ、きっと薩摩は寒かったろうと思うよ」

御名木の口を介しての物語だったから、二人が寒がって震えているという情報が、私に充分伝わらなかった。私はこれを、体力が弱っている故とのみ考えた。しかし、それだけではなかったのだ。

「旧暦というものも、ちょっとした落し穴だったね、石岡君」

私は息を吞(の)んでいた。十一月十日とは、新暦の十二月末のことだったのか。確かに南国の十一月と聞くばかりでは、雪は連想しない。

「畑の大根が一本なくなっていることが、積雪のせいでひと月露見せず、しかもこれが完全に溶ける前に筑前から救済米が来たので、それでお嘉さんの罪がうやむやになって打ち首をまぬがれたのか……、そうか、そういうことか……」

　言って私は、溜め息をついた。

「どうもそういうことのようだね石岡君、だから『大根奇聞』の後半も、そのうちきっと見つかるよ、御名木先生にはよろしく伝えてくれたまえ、では」

　電話は切れたらしいが、放心が続いていた私には、礼を言う余裕もない。切れてからも私は、しばらく動けなかった。受話器を戻すことも忘れて、津波のように押し寄せるもの思いに、じっと堪えていた。

　奇跡が起こっていたのだ。起こるはずのないことが起こった。それによって一人の、自らの生命を棄てた善意の人が救済された。これが寂光法師の宣言した神仏の力なのか――、私はまずそのように考えた。

　続いて私は、まだ自分の手にある受話器にはっと気づき、あわてて戻し、スウェーデンからも、百六十年前の薩摩からも遥かに離れた横浜馬車道の、狭い自室の椅子に腰をおろして、ぼんやりと膝を抱えた。

　一心に祈り続ける僧侶。その傍らで、おのれを棄て、淡々と死を待っていた女性。そして絶望の朝が白々と明けていき、矢七が立っていって障子戸を開いた時、この瞬間彼の目に飛び込んできたものは雪だった。一面に拡がる救済の銀世界を見た際の少年の思いは、はたしてどんなものだったろう。

身を棄てて他者を救う価値と意味を、その時彼は悟ったに相違ない。幼少期のこの朝の光景が、のちに酒匂帯刀となってからの彼の人生観、そして信仰を、底部で支えたことは想像にかたくない。彼のその心根が、三十年ののちに徳川慶喜を救い、江戸を焦土から救い、この温和策が、結局日本を植民地化から救った。酒匂帯刀も、おそらくそういうことを伝えたくて、「大根奇聞」を書いたのであろう。

天保九年、旧暦十一月十一日に起こった奇跡を知り、私もまた、そういうことに気づいたのだった。

人間の羊

大江健三郎

大江健三郎（おおえ・けんざぶろう）
一九三五年、愛媛県生まれ。東京大学文学部卒。在学中に「奇妙な仕事」が五月祭賞に入選し「東京大学新聞」に掲載。五八年「飼育」で芥川賞、六四年『個人的な体験』で新潮社文学賞、六七年「万延元年のフットボール」で谷崎潤一郎賞、八二年『「雨の木（レイン・ツリー）」を聴く女たち』で読売文学賞、八四年「河馬に噛まれる」で川端康成文学賞、九四年ノーベル文学賞を受賞。他受賞歴・著作多数。

冬のはじめだった、夜ふけの鋪道に立っていると霧粒が硬い粉のように頬や耳たぶにふれた。家庭教師に使ったフランス語の初等文典を外套のポケットに押しいれて、僕は寒さに躰を屈めながら終発の郊外へ走るバスが霧のなかを船のように揺らめいて近づくのを待っていた。

車掌はたくましい首すじに兎のセクスのような、桃色の優しく女らしい吹出物をもっていた。彼女は僕にバスの後部座席の隅の空席を指した。僕はそこへ歩いて行く途中で、膝の上に小学生の答案の束をひろげている、若い教員風の男のレインコートの垂れた端を踏みつけてよろめいた。僕は疲れきっていて睡く、躰の安定を保ちにくくなっていた。あいまいに頭をさげて、僕は郊外のキャンプへ帰る酔った外国兵たちの占めている後部座席の狭いすきまへ腰をおろしに行った。僕の腿がよく肥えて固い外国兵の尻にふれた。バスの内部の水っぽく暖かい空気に顔の皮膚がほぐされると、疲れた弱よわしい安堵がまじりあった。僕は小さい欠伸をして甲虫の体液のように白い涙を流した。

僕を座席の隅に押しつめている外国兵たちは酒に酔って陽気だった。彼らは殆どみんな牛のようにうるんで大きい眼と短い額とを持って若かった。太く脂肪の赤い頸を黄褐色のシャツでしめつけた兵隊が、背の低い、顔の大きい女を膝にのせていて、他の兵隊たちにはやしたてられながら、女の木ぎれのように艶のない耳へ熱心にささやいていた。やはり酔っている女は、兵隊の水みずしくふくらんだ脣をうるさがって肩を動かしたり頭をふりたてたりしていた。それを見て兵隊たちは狂気の血にかりたてられるように笑いわめいた。日本人の乗客たちは両側の窓にそった長い座席に坐って兵隊たちの騒ぎから眼をそむけていた。外国兵の膝の上にいる女は暫くまえからその外国兵と口争いをしている様子だった。僕は硬いシートの背に躰をもたせかけ、頭が硝子窓にぶつかるのを避けてうなだれた。バスが走りはじめると再び寒さが静かにバスの内部の空気をひたしていった。僕はゆっくり自分の中へ閉じこもった。

急にけたたましい声で笑うと、女が外国兵の膝から立上り、彼らに罵りの言葉をあびせながら、倒れるように僕の肩によりかかって来た。

あたいはさ、東洋人だからね、なによ、あんた。しつこいわね、と女はそのぶよぶよする躰を僕におしつけて日本語で叫んだ。甘くみんなよ。

女を膝の上に乗せていた外国兵は空になった長い膝を猿のように両脇へひらき、むしろ当惑の表情をあらわにして、僕と女とを見まもっていた。

こんちくしょう、人まえであたいに何をするのさ、と女は黙っている外国兵たちに苛立って叫び、首をふりたてた。

あたいの頸になにをすんのさ、穢いよ。

車掌が頬をこわばらせて顔をそむけた。

あんたたちの裸は、背中までひげもじゃでさ、と女はしつこく叫んでいた。あたいは、このぼうやと寝たいわよ。

車の前部にいる日本人の乗客たち、皮ジャンパーの青年や、中年の土工風の男や、勤人たちが僕と女とを見つめていた。僕は躰をちぢめ、レインコートの襟を立てた教員に、被害者のほほえみ、弱よわしく軽い微笑をおくろうとしたが、教員は非難にみちた眼で僕を見かえすのだ。僕はまた、外国兵たちも、女よりむしろ僕に注意を集中しはじめているのに気がつき、当惑と羞ずかしさで躰をほてらせた。

ねえ、あたいはこの子と寝たいわよ。

僕は女の躰をさけて立ちあがろうとしたが、女のかさかさに乾いた冷たい腕が僕の肩にからみついて離れなかった。そして女は、柿色の歯茎を剝きだして、僕の顔いちめんに酒の臭いのする唾の小さい沫を吐きちらしながら叫びたてた。

あんたたち、牛のお尻にでも乗っかりなよ、あたいはこのぼうやと、ほら。

僕が腰をあげ、女の腕を振りはらった時、バスが激しく傾き、僕には躰を倒れることからふせぐために窓ガラスの横軸につかまる短い余裕しかなかった。その結果、女は僕の肩に手をかけたままの姿勢で振りまわされ、叫びたてながら床にあおむけに転がって、細く短い両脚をばたばたさせた。靴下どめの上の不自然にふくらんだ腿が寒さに鳥肌だち、青ぐろく変色しているのを僕は見たが、どうすることもできない。それは肉屋のタイル張りの台におかれている、水に濡れた裸の鶏の不意の身悶えに似ていた。

外国兵の一人がすばやく立ちあがり、女をたすけ起した。そしてその兵隊は、急激に血の気を失い、寒さにこわばる脣を嚙みしめて喘いでいる女の肩を支えたまま、僕を睨みつけた。僕は謝りの言葉をさがしたが、数かずの外国兵の眼に見つめられると、それは喉にこびりついてうまく出てこない。僕は、頭をふり、腰を座席におちつけようとした。その肩を外国兵のがっしりした腕が摑まえ、ひきあげる。僕は躰をのけぞり、外国兵の栗色の眼が怒りと酔いに小さな花火のようなきらめきを湧きたたせるのを見た。

外国兵が何か叫んだ。しかし僕には、その歯音の多い、すさまじい言葉のおそいかかりを理解できなかった。外国兵は一瞬黙りこんで僕をのぞきこみ、それからもっと荒あらしく叫んだ。

僕は狼狽しきって、外国兵の逞しい首の揺れ動きや、喉の皮膚の突然のふくらみを見まもっていた。僕には彼の言葉の単語一つ理解することができなかった。

外国兵は僕の胸ぐらを摑んで揺さぶりながら喚き、学生服のカラーが喉の皮膚に食いこんで痛むのを僕は耐えた。外国兵の金色の荒い毛が密生した腕を胸から外させることができないで、あおむいたままぐらぐらしている僕の顔いちめんに小さい唾を吐きかけながら外国兵は狂気のように叫び続けるのだ。それから急に僕は突きはなされ、ガラス窓に頭をうちつけて後部座席へ倒れこんだ。そのまま僕は小動物のように躰を縮めた。

高い声で命令するように外国兵が叫びたて、急速にざわめきが静まって、エンジンの回転音だけがあたりをみたした。倒れたまま首をねじって振りむいた僕は若わかしい外国兵が右手に強靭に光るナイフをしっかり握っているのを見た。僕はのろのろ躰を起し、武器を腰のあたりでこきざみに動かしている外国兵とその横で貧弱な顔をこわばらせている女とに向きなおった。日本人の乗客たちも、他の外国兵たちもみんな黙りこんで僕らを見守っていた。

外国兵がゆっくり音節をくぎって言葉をくりかえしたが、僕は耳へ内側から血がたぎってくる音しか聞くことができない。僕は頭を振ってみせた。外国兵が苛立って硬すぎるほど明確な発音を再びくりかえし、僕は言葉の意味を理解して急激な恐怖に内臓を揺さぶられた。うしろを向け、うしろを向け。しかしどうすることができよう、僕は外国兵の命令にしたがってうしろを向いた。後部の広いガラス窓の向うを霧が航跡のようにうずまき、あおりたてられて流れていた。外国兵がしっかりした声で叫んだが、僕には言葉の意味がわからない。外国兵がその卑猥な語感のする俗語をくりかえして叫ぶと僕の躰の周りの外国兵たちが発作のように激しく笑いどよめいた。

僕は首だけ背後にねじって外国兵と女とを見た。女は生きいきして猥らな表情をとり戻しはじめていた。そして外国兵は大げさに威嚇の身ぶりを見せ、自分の思いつきに熱中する子供のように喚いた。僕は恐怖がさめて行くのをあっけにとられて感じていたが、外国兵の思いつきは僕に伝わってこないのだった。僕はゆっくり頭をふって外国兵から顔をそむけた。彼は僕に悪ふざけをしているにすぎないのだろう、僕はどうしていいかわからないが、少くとも危険ではないだろう、と僕は窓ガラスの向うの霧の流れをみつめて考えた。僕はこのまま立っていればいい、そして彼らは僕を解放するだろう。

しかし外国兵の逞しい腕が僕の肩をしっかり摑むと動物の毛皮を剝ぐように僕の外套をむしりとったのだ。そして僕は数人の外国兵が笑いざわめきながら僕の躰へ腕をかけるのをどうすることもできない。彼らは僕のズボンのベルトをゆるめ荒あらしくズボンと下ばきとをひきはいだ。僕はずり落ちるズボンを支えるために両膝を外側へひろげた姿勢のまま手首を両側からひきつけられ、力強い腕が僕の首筋を押しつけた。僕は四足の獣のように背を折り曲げ、裸の尻を外国兵たちの喚声にさらしてうなだれていた。僕は躰をもがいたが両手首と首筋はがっしり押さえられ、その上、両足にはズボンがまつわりついて動きの自由をうばっていた。

尻が冷たかった。僕は外国兵の眼のまえへつき出されている僕の尻の皮膚が鳥肌だち、灰青色に変化して行くのを感じた。尾骶骨の上に硬い鉄が軽くふれて、バスの震動のたびに痛みのけいれんを背いちめんにひろげた。ナイフの背をそこに押しあてている若い外国兵の表情が僕にはわかった。

僕は圧しつけられ、捩じまげられた額のすぐ前で、自分のセクスが寒さにかじかむのを見た。狼狽のあとから、焼けつく羞恥が僕をひたしていった。そして僕は腹を立てていた、子供の時のように、やるせない苛立たしい腹だちがもりあがってきた。しかし僕がもがいて外国兵の腕からのがれようとするたびに、僕の尻はひくひく動くだけなのだ。外国兵が突然歌いはじめた。そして急に僕の耳は彼らのざわめきの向うで、日本人の乗客がくすくす笑っているのを聞いた。僕はうちのめされ圧しひしがれた。手首と首筋の圧迫がゆるめられたとき、僕は躰を起す気力さえうしなっていた。そして僕の鼻の両脇を、粘りつく涙が少しずつ流れた。

兵隊たちは童謡のように単純な歌をくりかえし歌っていた。そして拍子をとるためのように、寒さで無感覚になり始めた僕の尻をひたひた叩き、笑いたてるのだ。

羊撃ち、羊撃ち、パン　パン

と彼らは熱心にくりかえして訛りのある外国語で歌っていた。

羊撃ち、羊撃ち、パン　パン

ナイフを持った外国兵がバスの前部へ移って行った。そして他の外国兵が数人、彼を応援に行った。そこで日本人の乗客たちのおずおずした動揺が起り、外国兵が叫んだ。

彼らは行列を整理する警官のように権威をもって長い間叫びつづけた。屈んでいる僕にも彼らのやっている作業は分った。僕が首筋を摑まえられて正面へ向きなおされた時、バスの中央の通路には、震動に耐えるために足を拡げてふんばり、裸の尻を剝きだして背を屈めた《羊たち》が並んでいた。僕は彼らの列の最後に連なる《羊》だった。外国兵たちは熱狂して歌いどよめいた。

羊撃ち、羊撃ち、パン　パン

そしてバスが揺れるたびに僕の額は、すぐ眼の前の、褐色のしみのある瘦せた尻、勤人の寒さに硬い尻へごつごつぶつかるのだ。バスが急に左へ廻りこみ停車した。僕は筋肉のこわばりが靴下どめを押しあげている勤人のふくらはぎへ頭をのめらせた。

ドアを急いで開く音がし、車掌が子供のような透きとおって響く悲鳴をあげながら暗い夜の霧の中へ走り逃れて行った。僕は躰を屈めたまま、その幼く甲高い叫びの遠ざかって行くのを聞いた。誰もそれを追わなかった。

あんた、もう止しなよ、と僕の背に手をかけて外国兵の女が低い声でいった。

僕は犬のように首を振って彼女の白けた表情を見あげ、またうつむいて僕の前に列なる《羊たち》と同じ姿勢を続けた。女は破れかぶれのように声をはりあげて外国兵たちの歌に合唱しはじめた。

羊撃ち、羊撃ち、パン　パン

やがて、運転手が白い軍手を脱ぎ、うんざりした顔でズボンをずり落して、丸まる肥った大きい尻を剥き出した。

自動車が何台も僕らのバスの横をすりぬけて行った。霧にとざされた窓ガラスを覗きこもうとしながら行く自転車の男たちもいた。それはきわめて日常的な冬の夜ふけにすぎなかった。ただ、僕らはその冷たい空気の中へ裸の尻をさらしていたのだ。僕らは実に長い間、そのままの姿勢でいた。そして急に、歌いつかれた外国兵たちが、女を連れてバスから降りて行ったのだ。嵐が倒れた裸木を残すように、僕ら、尻を剥き出した者たちを置きざりにして。僕らはゆっくり背を伸ばした。それは腰と背の痛みに耐える努力をともなっていた。それほど長く僕らは《羊》だったのだ。

僕は床に泥まみれの小動物のように落ちている僕の古い外套を見つめながらズボンをずりあげベルトをしめた。そしてのろのろ外套をひろい、汚れをはらい落すとうなだれたまま後部座席へ戻った。ズボンの中で僕の痛めつけられた尻は熱かった。僕は外套を着こむことを億劫にさえ感じるほど疲れていた。

《羊》にされた人間たちは、みんなのろのろとズボンをずりあげ、ベルトをしめて座席に戻った。《羊たち》はうなだれ、血色の悪くなった脣を噛んで身震いしていた。そして《羊》にされなかった者たちは、逆に上気した頰を指でふれたりしながら《羊たち》を見まもった。みんな黙りこんでいた。

僕の横へ坐った勤人はズボンの裾の汚れをはらっていた。それから彼は神経質に震える指で眼鏡をぬぐった。《羊たち》は殆ど後部座席にかたまって坐っていた。そして、教員たち、被害を受けなかった者たちはバスの前半分に、興奮した顔をむらがらせて僕らを見ていた。運転手も僕らと並んで後部座席に坐っていた。そのまま暫く僕らは黙りこんで待っていた。しかし何もおこりはしない。車掌の少女も帰ってこなかった。僕らには何もすることがなかった。

そして運転手が軍手をはめて、運転台へ帰って行き、バスが発車すると、バスの前半分に活気が戻ってきた。彼ら、前半分の乗客たちは小声でささやきあい、僕ら被害者を見つめた。僕はとくに教員が熱をおびた眼で僕らを見つめ、唇を震わせているのに気がついていた。僕は座席に躰をうずめ、彼らの眼からのがれるためにうなだれて眼をつむった。僕の躰の底で、屈辱が石のようにかたまり、ぶつぶつ毒の芽をあたりかまわずふきだし始めていた。

教員が立ちあがり、後部座席まで歩いてきた。僕は顔をふせたままでいた。教員はガラス窓の横軸にしっかり躰を支えて屈みこみ勤人に話しかけた。

あいつらひどいことをやりますねえ、と教員は感情の高ぶりに熱っぽい声でいった。彼はバスの前部の客たち、被害をうけなかった者たちの意見を代表しているように堂々として熱情的だった。

人間に対してすることじゃない。

勤人は黙りこんだまま、うつむいて教員のレインコートの裾を見つめていた。

僕は黙って見ていたことを、はずかしいと思っているんです、と教員は優しくいった。どこか痛みませんか。

勤人の色の悪い喉がひくひく動いた。それはこういっていた、俺(おれ)の躰が痛むわけはないよ、尻(しり)を裸にされるくらいで、俺をほっておいてくれないか。しかし勤人の脣は硬く噛みしめられたままだった。

あいつらは、なぜあんなに熱中していたんだか僕にはわからないんです、と教員はいった。日本人を獣あつかいにして楽しむのは正常だとは思えない。

バスの前部の席から被害を受けなかった客の一人が立って来て教員の横にならび、僕らをやはり堂々として熱情的な眼でのぞきこんだ。それから、前部のあらゆる席から興奮に頰(ほお)をあかくした男たちがやって来て教員たちとならび、彼らは躰を押しつけあい、むらがって僕ら《羊たち》を見おろした。

ああいうことは、このバスでたびたび起るんですか、と客の一人がいった。

新聞にも出ないからわからないけれど、と教員が答えた。始めてではないでしょう。慣れているようなやり方だったな。

女の尻をまくるのなら話はわかるが、と道路工夫のように頑丈(がんじょう)な靴をはいた男が真面(まじ)

目に腹をたてた声でいった。男にズボンを脱がせてどうするつもりなんだろう。厭なやつらだった。

ああいうことを黙って見逃す手はないですよ、と道路工夫らしい男はいった。黙っていたら増長して癖になる。

僕らを、兎狩りで兎を追いつめる犬たちのように囲んで、立った客たちは怒りにみちた声をあげ話しあった。そして僕ら《羊たち》は柔順にうなだれ、坐りこみ、黙って彼らの言葉を浴びていた。

警官に事情を話すべきですよ、と教員が僕らに呼びかけるように、ひときわ高い声でいった。あの兵隊のいるキャンプはすぐにわかるでしょう。警察が動かなかったら、被害者が集って世論に働きかけることができると思うんです。きっと今までも、被害者が黙って屈伏したから表面化しなかっただけだと僕は思う。そういう例はほかにもあります。

教員の周りで被害を受けなかった客たちが賛同の力強いざわめきを起した。しかし坐っている僕らは黙ったままうなだれていた。

警察へ届けましょう、僕は証人になります、と教員が勤人の肩に掌をふれると活気のある声でいった。彼は他の客たちの意志を躰じゅうで代表していた。

俺も証言する、と他の一人がいった。

やりましょう、と教員はいった。ねえ、あんた達、唖みたいに黙りこんでいないで立上って下さい。

唖、不意の唖に僕ら《羊たち》はなってしまっていたのだ。そして僕らの誰一人、口を開く努力をしようとはしなかった。僕の喉は長く歌ったあとのように乾いて、声は生まれる前に融けさってしまう。そして躰の底ふかく、屈辱が鉛のように重くかたまって、僕に身動きすることさえ億劫にしていた。

黙って耐えていることはいけないと僕は思うんです、と教員がうなだれたままの僕らに苛立っていた。僕らが黙って見ていたことも非常にいけなかった。無気力にうけいれてしまう態度は棄てるべきです。

あいつらにも思いしらせてやらなきゃ、と教員の言葉にうなずきながら別の客がいった。我われも応援しますよ。

しかし坐っている《羊》の誰も、彼らの励ましに答えようとはしなかった。彼らの声が透明な壁にさえぎられて聞えないように、みんな黙ってうつむいていた。

恥をかかされたもの、はずかしめを受けた者は、団結しなければいけません。

急激な怒りに躰を震わせて僕は教員を見あげた。《羊たち》が動揺し、それから赤い皮ジャンパーを着こんで隅にうずくまっていた《羊》が立ちあがると、青ざめて硬い顔をまっすぐに保ったまま教員につっかかっていった。彼は教員の胸ぐらを摑み、狭く開いた脣のあいだから唾を吐きとばしながら教員を睨みつけたが、彼も言葉を発することができない。教員は無抵抗に両腕をたれ驚きにみちた表情をしていた。周囲の客たちも驚きに黙りこんで男を制しようとはしなかった。男は罵りの言葉をあきらめるように首を振ると教員の顎を激しく殴りつけた。

しかし勤人と、他の《羊》の一人が、倒れた教員へ跳びかかって行こうとする男の肩をだきとめると、男は急速に躰から力をぬき、ぐったりして席に戻った。黙ったまま勤人たちが坐ると、再び《羊たち》はみんな疲れきった小動物のようにひっそりうなだれてしまうのだ。立っていた客たちも、あいまいに黙りこんで前部の座席へ戻って行った。彼らの間でも感情の昂揚がたちまち冷却して行き、そのあとにざらざらして居心地の悪い滓がたまりはじめているようだった。床に倒れた教員は立ちあがると僕らをいくぶん哀しそうな眼でみつめ、それから丁寧にレインコートをはたいた。彼はもう誰にも話しかけようとはしなかったが、時どき紅潮がまだらに残っている顔をふりむいて僕らを見た。僕は殴りつけられて倒れた教員を見ることで自分の屈辱をほんの少しまぎらせようとしたことを醜いと考えたが、それが深く僕を苦しめるには、僕の躰があまりに疲れすぎていた。それに寒かった。バスの小刻みになった震動に躰をまかせながら僕は脣を嚙みしめて睡りから耐えた。

バスは市の入口のガソリンスタンドの前でとまり、そこで勤人と僕とをのぞくすべての《羊たち》と他の乗客とが降りた。運転手が車掌のかわりに切符をうけとろうとはしないので、幾人かは小さく薄い切符を車掌の席に丸めて棄てて、降りて行った。

バスが再び走りはじめた時、僕は教員の執拗にまといつく視線が僕にむけられているのに気がつき小さなおびえにとらえられた。教員はあきらかに僕に話しかけたがっていると感じられるのだ。そして、それをどうはぐらかしていいか僕にはわからない。僕は教員から顔をそむけ、躰をねじって後部の広いガラス窓から外を覗こうとしたが、それは霧のこまかい粒でぎっしりおおわれていて、暗い鏡のように車内のすべてをぼんやり写している。そのなかに僕は、やはり熱心に僕を見つめている教員の顔を見てやりきれない苛だちにおそわれた。

次の停留所で、僕は殆ど駈けるようにしてバスを降りた。教員の前を通りぬける時、僕は首を危険な伝染を避けるためのように捩って教員のすがりついて来る視線を振りきらねばならなかった。鋪道に霧はよどんで空気は淡い密度の水のようだった。僕は外套の襟を喉にまきつけて寒さをふせぎながら、バスが霧のゆるやかなうずをまきおこして遠ざかるのを見おくり、みじめな安堵の感情を育てた。ガラスを掌でぬぐって、勤人が僕を見ようとしているのが白っぽくバスの後尾にうかんでいた。僕は、肉親と別れるような動揺を感じた、おなじ空気のなかへ裸の尻をさらした仲間。しかし僕はその賤しい親近感を恥じて、ガラス窓から眼をそらした。家の暖かい居間で僕を待っているはずのた。母親や妹たちの前へ帰って行くために僕は自分をたてなおさなければならなかった。僕は彼女たちから、僕の躰の奥の屈辱をかぎとられてはならない、と考えた。僕は明るい心をもった子供のように意味もなく駈けだすことにきめて外套をかたく躰にまといつけた。

ねえ、君、と僕の背後にひそんだ声がいった。ねえ、待ってくれよ。

その声が、僕から急速に去って行こうとしていた厭わしい《被害》を再び正面までひき戻した。僕はぐったりして肩をたれた。その声がレインコートの教員のそれであることは振りかえるまでもなくわかった。

待ってくれよ、と教員は寒さに乾いた脣を湿すために舌を覗かせてから、過度に優しい声でくりかえした。

この男から逃れることはむつかしい、という予感が僕をみたし、無気力に彼の言葉の続きを待たせた。教員は僕をすっぽりくるんでしまう奇妙な威圧感を躰にみなぎらせて微笑していた。

君はあのことを黙ったまま耐えしのぶつもりじゃないだろう？　と教員は注意深くいった。他の連中はみんなだめだけど、君だけは泣寝入りしないで戦うだろう？

戦う？　僕は驚いて、うすい皮膚の下に再び燃えあがろうとしはじめた情念をひそめている教員の顔を見つめた。それは僕をなかば慰撫し、なかば強制していた。

君の戦いには僕が協力しますよ、と一歩踏み出して教員はいった。僕がどこにでも出て証言する。

あいまいに頭を振って彼の申出をこばみ、歩き出そうとする僕の右脇(みぎわき)へ教員の励ましにみちた腕がさしこまれた。

警察に行って話そう、遅くならない方がいい。交番はすぐそこなんだ。

僕のとまどった抵抗をおしきり、しっかりした歩調で僕をひきずるように歩きながら、教員は短く笑ってつけくわえた。あすこは暖かくていいよ、僕の下宿には火の気もないんだ。

僕らは、僕の心のなかの苛だたしい反撥(はんぱつ)にもかかわらず、親しい友人同士のように見える腕のくみかたで、鋪道を横切り、狭い光の枠(わく)を霧の中へうかびあがらせている交番へ入って行った。

交番には若い警官が太い書体の埋めているノートに屈(かが)みこんでいた。彼の若わかしいうなじを赤熱したストーヴがほてらせていた。

こんばんは、と教員がいった。

警官が頭をあげ、僕を見つめた。僕は当惑して教員を見あげたが、彼はむしろ交番から僕が逃げだすのをふせぐためのように立ちふさがり僕を見つめていた。警官は充血して睡そうな眼を僕から教員にむけて固定した。それから再び僕を見かえした時警官の眼は緊張していた。彼は教員から信号をうけとったようだった。

え？　と警官が僕を見つめたまま、教員にうながした。

どうかしましたか？

キャンプの外国兵との問題なんです、と教員が警官の反応をためすためにゆっくりいった。被害者はこの人です。

キャンプの？　と警官は緊張していった。

この人たちが外国兵に暴行されたんです。

警官の眼が硬くひきしまり僕の躰じゅうをすばやく見まわした。僕は彼が、打撲傷や切傷を僕の皮膚の上に探そうとしているのがわかったが、それらはむしろ僕の皮膚の下にとどこおっているのだ。そしてそれらを僕は他人の指でかきまわされたくなかった。

待って下さいよ、僕一人ではわからないから、と急に不安にとりつかれたように若い警官はいって立上った。キャンプとの問題は慎重にやりたいんです。

警官が籐をあんだ仕切の奥へ入って行くと、教員は腕を伸ばして僕の肩にふれた。

僕らも慎重にやろう。

僕はうつむいてストーヴからのほてりが、寒さでこわばっていた顔の皮膚をむずがゆく融かすのを感じて黙っていた。

中年の警官は若い警官につづいて入って来る時、眼をこすりつけて眠りから脱け出る努力をしていた。それから彼は疲れた肉がたるんでいる首をふりむけて僕と教員を見つめ、椅子をすすめた。僕はそれを無視して坐らなかった。教員は一度坐った椅子から、僕を監視するためのように、あわててまた立上った。警官たちが坐ると訊問の空気がかもしだされた。

キャンプの兵隊に殴られたんだって？　と中年の警官がいった。

いいえ、殴られはしません、と皮ジャンパーの男に殴りつけられたあとが青黒いしみになっている自分の顎をひいて教員はいった。もっと悪質の暴行です。

どういうことなんだい、と中年の警官がいった。暴行といったところで。

教員が僕を励ます眼で見つめたが、僕は黙っていた。

え？

バスの中で酒に酔った外国兵が、この人たちのズボンを脱がせたんです、と教員が強い調子でいった。そして裸の尻を。

羞恥が熱病の発作のように僕を揺り動かした。外套のポケットの中で震えはじめた指を僕は握りしめた。

裸の尻を？　と若い警官が当惑をあらわにしていった。

教員は僕を見つめてためらった。

傷でもつけたんですか。

指でぱたぱた叩いたんです、と教員は思いきっていった。

若い警官が笑いを耐えるために頬の筋肉をひりひりさせた。

どういうことなんだろうな、と中年の警官が好奇心にみちた眼で僕をのぞきこみながらいった。ふざけているわけじゃないでしょう？

え？　僕らが。

裸の尻をぱたぱた叩いたといっても、と教員をさえぎって中年の警官はいった。死ぬわけでもないだろうし。

死にはしません、と教員が激しくいった。しかし混雑しているバスの中で裸の尻を剝き出して犬のように屈まされたんだ。

警官たちが教員の語勢にけおされるのが、羞恥に躰を熱くしてうつむいている僕にもわかった。

脅迫されたんですか、と若い警官が教員をなだめるようにいった。

大きいナイフで、と教員がいった。

キャンプの外国兵だということは確かなのですね、と熱をおびてきた声で若い警官がいった。詳しく話してみてください。

そして教員はバスの中での事件を詳細に話した。僕はそれをうなだれて聞いていた。

僕は警官たちの好奇心にみちた眼のなかで、僕が再びズボンと下ばきをずりさげられ、鳥のそれのように毛穴のぶつぶつふき出た裸の尻をささげ屈みこまされるのを感じた。

ひどいことをやられたもんだなあ、と猥(みだ)らな笑いをすでにおしかくそうとさえしないで、黄色の歯茎を剥いた中年の警官はいった。それを他の連中は黙って見ていたんだろう？

僕は、と嚙みしめた歯の間から呻(うめ)くように声を嗄らせて教員がいった。平静な気持でそれを見ていたわけじゃない。

顎を殴られていますね、と若い警官が僕から教員へ眼をうつしていった。

いいえ、外国兵にじゃありません、と教員は不機嫌(ふきげん)にいった。

被害届を一応出してもらうことにしようか、と中年の警官がいった。それから、こういう事件のあつかいは丁寧に検討しないと厄介(やっかい)で。

厄介なというような問題じゃないでしょう、と教員がいった。はっきり暴力ではずかしめられたんだ。泣寝入りするわけにはいかないんです。

法律上、どういうことになるか、と中年の警官は教員をさえぎっていった。君の住所と名前を聞きます。

僕は、と教員がいった。

あんたよりさきに、被害を受けた当人のを。

僕は驚いて激しく首を振った。

え？　と若い警官が額に短い皺をよせていった。

頑強に自分の名前をかくしとおさねばならない、と僕は考えた。なぜ僕は、教員にしたがって交番へ入って来たりしたのだろう。このまま疲れにおしひしがれて無気力に教員の意志のままになっていたら、僕は自分のうけた屈辱をあたりいちめんに広告し宣伝することになるだろう。

君の住所と名前をいえよ、と教員が僕の肩に腕をまわしていった。そして告訴するんだ。

僕は教員の腕から躰をさけたが、彼に自分が告訴する意志をもたないことを説明するためにはどうしていいかわからなかった。僕は不意の唖だった。脣を硬く噛んだまま僕はストーヴの臭いに軽い嘔気を感じ、これらすべてが早く終ればいいと苛だたしく願っていた。

この学生だけが被害者じゃないんだから、と教員が思いなおしたようにいった。僕が証人になってこの事件を報告するという形でもいいでしょう？

被害をうけた当人が黙っているのに、こんなあいまいな話を取りあげることはできないよ。新聞だって相手にするはずはないね、と中年の警官はいった。殺人とか傷害とかいうのじゃないんだ。裸の尻をぱたぱた叩く、そして歌う。

若い警官がいそいで僕から顔をそむけ、笑いをかみころした。

ねえ、君、どうしたんだ、と苛だって教員がいった。なぜ君は黙ってるんだ。僕は顔をうつむけたまま交番から出て行こうとしたが、教員が僕の通路へまわりこみ、しっかり足をふんばって僕をさえぎった。

ねえ、君、と彼は訴えかけるように切実な声でいった。誰か一人が、あの事件のために犠牲になる必要があるんだ。君は黙って忘れたいだろうけど、思いきって犠牲的な役割をはたしてくれ。犠牲の羊になってくれ。

羊になる、僕は教員に腹だたしさをかりたてられたが、彼は熱心に僕の眼をのぞきこもうと努めていた。そして懇願するような、善良な表情をうかべている。僕はますますかたくなに口をつぐんだ。

君が黙っているんじゃ、僕の立場がないよ。ねえ、どうしたんだ。

明日にでも、と中年の警官が、睨みあって沈黙した僕らを見つめながら立ちあがっていった。あんたたちの間で、はっきり話がついてから来て下さい。そうしたところで、キャンプの兵隊を起訴することになるかどうかはわからないけれどね。

教員は警官に反撥してなにかいいかけたが、警官は僕と教員の肩にぶあつい掌をおき、親しい客を送るように外へ押し出した。

明日でも遅くないだろう？　その時には、もっと用意をととのえておいてもらう。

僕は今夜、と教員があわてていった。

今夜は一通り話を聞いたじゃないか、と警官はやや感情的な声を出した。それに直接の被害者は訴える気持を持ってないんだろ？

僕と教員とは交番を出た。交番からの光は濃くなって光沢をおびた霧に狭く囲われていた。

君は泣寝入りするつもりなのか？　と教員が口惜しそうにいった。

僕は黙ったまま霧の囲いの外、冷たく暗い夜のなかへ入って行った。僕は疲れきっていたし睡かった。僕は家へ帰り、妹たちと黙りこんで遅い食事をし、自分の屈辱を胸にかかえこむように背をまるめ蒲団をかぶって寝るだろう、そして夜明けには、少しは回復してもいるだろう……

しかし、教員が僕から離れないでついて来るのだ。僕は足を早めた。教員の力のこもった靴音が僕の背のすぐ後で早くなる。僕はふりかえり、教員と短い時間、顔を見つめあった。教員は熱っぽく苛だたしい眼をしていた。霧粒が彼の眉にこびりついて光っていた。

君はなぜ警察で黙っていたんだ、あの外国兵どもをなぜ告発しなかったんだ、と教員がいった。黙って忘れることができるのか？

僕は教員から眼をそらし、前屈みに急いで歩きはじめた。僕は背後からついて来る教員を無視する決心をしていた。僕は顔をこわばらせる冷たい霧粒をはらいのけようともしないで歩いた。鋪道の両側のあらゆる商店が灯を消し扉をとざしていた。僕と教員の靴音だけが霧にうもれて人通りのない町にひびいた。僕の家のある路地へ入るために鋪道を離れる時、僕はすばやく教員を振りかえった。

黙って誰からも自分の恥をかくしおおすつもりなら、君は卑怯だ、と振りかえる僕を待ちかまえていたように教員はいった。そういう態度は外国兵にすっかり屈伏してしまうことだ。

僕は教員の言葉を聞く意志を持たないことを誇示して路地へ駈けこんだが、教員は急ぎ足に僕の背へついて来るのだ。彼は僕の家にまで入りこんで僕の名前をつきとめようとするつもりかもしれない。僕は自分の家の門灯の明るみを横眼に見て、その前を通りすぎた。路地のつきあたりを曲って、再び鋪道へ出ると教員も歩調をゆるめながら僕に続いた。

君の名前と住所だけでもおしえてくれ、と教員が僕に背後から声をかけた。後から今後の戦いの方針を連絡するから。

僕は苛だちと怒りにおそわれた。しかし僕にどうすることができよう。僕の外套の肩は霧に濡れて重くなり、首すじに冷たくそれはふれた。身震いしながら僕は黙りこんで歩いた、長い間そのまま僕らは歩いた。

市の盛り場近くまで来ると、暗がりから獣のように首を伸ばして街娼が僕らを待ちかまえているのが見えた。僕は街娼をさけるために車道へ踏み出し、そのまま車道を向う側の歩道へ渡った。寒かった、僕は下腹の激しいしこりをもてあましていた。ためらったあと、僕はコンクリート塀の隅で放尿した。教員は僕と並んで自分も放尿しながら僕によびかけた。

おい、名前だけでもいってくれよ。僕らはあれを闇にほうむることはできないんだ。

霧を透して街娼が僕らを見まもっていた。僕は外套のボタンをかけ、黙ったままひきかえしはじめた。教員が僕と肩をならべた時、街娼は僕らに簡潔で卑猥な言葉をなげかけた。霧に刺戟された鼻孔の粘膜が痛み悪寒がした。僕は疲れと寒さにうちひしがれていた。腓がこわばり、靴の中でふくれた足が痛んだ。

僕は教員をなじり、あるいは腕力にかけてもその理ふじんな追跡を拒まねばならなかったのだ。しかし僕は啞のように言葉を失い、疲れきっていた。躰をならべて歩きつづける教員にただ絶望的に腹を立てていた。

僕らが再び、僕の家への路地の前へさしかかった時、夜はすっかり更けていた。僕は蒲団にたおれふして睡りに身をまかせたい、激しい願いにとらえられた。そこを僕は通りすぎたが、それ以上遠くへ歩き離れていくことには耐えられなかった。急に湧きあふれる情念が僕をぐいぐいとらえた。

僕は唇を嚙みしめ、ふいに教員をつきとばすと、暗く細い路地へ駈けこんだ。両側の垣の中で犬が激しく吠えたてた。僕は息をあえがせ、顎をつきだし、悲鳴のような音を喉からもらしながら駈けつづけた。横腹が痛みはじめたが僕はそこを押しつけて走った。しかし、街灯が淡く霧を光らせている路地の曲りかどで、僕は背後から逞しい腕に肩を摑まえられたのだ。僕を抱きこむように躰をよせ教員は荒い息を吐いていた。そして僕も白く霧にとけこむ息を開いた口と鼻孔から吐き出した。

今夜ずっと、この男につきまとわれて、冷たい町を歩きつづけねばならないだろう、と僕は疲れきって考えた。躰を重く無力感がみたし、その底から苛だたしい哀しみがひろがってきた。僕は最後の力をふりしぼって、教員の腕をはらいおとした。しかし教員はがっしりして大きい躰を僕の前にそびえさせて、僕の逃走の意志をうけつけない。僕は教員と睨みあったまま絶望しきっていた。敗北感と哀しみが表情にあらわれてくるのをふせぐためにどうしていいかわからないのだ。

お前は、と教員が疲れに嗄れた声を出した。どうしても名前をかくすつもりなんだな。

僕は黙ったまま教員を睨みつけているだけで躰じゅうのあらゆる意志と力をつかっていた。

俺はお前の名前をつきとめてやる、と教員は感情の高ぶりに震える声でいい、急に涙を両方の怒りにみちた眼からあふれさせた。お前の名前も、お前の受けた屈辱もみんな明るみに出してやる。そして兵隊にも、お前たちにも死ぬほど恥をかかせてやる。お前の名前をつきとめるまで、俺は決してお前から離れないぞ。

編者あとがき――『小説の惑星　オーシャンラズベリー篇』収録作品について

伊坂幸太郎

以下、この本に収録した作品やその作家について、選んだ理由や思い入れ、思い出のようなものを書いていきます。僕の思い込みや勘違い、読解力不足により、的外れなことを書いている可能性がありますので（自分の思い出話にすら記憶違いがありそうです）、あくまでも、伊坂幸太郎の頭の中ではこうなっているのだな、といった具合に受け止めていただけると助かります。

「電報」永井龍男

永井龍男さんの小説を読んだのは、自分がデビューした後、短編集『青梅雨』がはじめてでした。どういった経緯で手に取ったのかの記憶はあやふやなのですが、収録されているこの短編「電報」を読み終えた後、ぷっと噴き出し、しばらく、にやにやしていたことはよく覚えています。おそらく世間的には、一家心中をする家族の様子を描いた短編「青梅雨」のほうが評価が高いのかもしれませんが、こちらのほうがお気に入りです。

この短編を読むたび、主人公、波島の女性との付き合い方、その身勝手さに、嫌悪感を抱かずにいられません。「このまま好きにさせていいものか。痛い目に遭いますように」と祈るような気持ちで読み進めていくのですが、すると思わぬ結末に至ります。肩透かしと言いますか、拍子抜けと言いますか、笑うほかないという終わり方で、求めていたような制裁ではないものの、男に対し、「ざまあ見ろ」と言いたくなるような痛快な（ほんの少しですが）気持ちにはなります。

果たして永井龍男さんがどういった気持ちでこれを書いたのかは、まったく想像できないのですが、お笑い芸人のコントや映画では表現しにくい、このこぢんまりした可笑しさがとても好きです。

「恋愛雑用論」絲山秋子

絲山秋子さんの小説はまず、「威張って」いないところが素晴らしいな、といつも思います。もちろん絲山秋子さん自身は間違いなく苦労し、ああでもないこうでもないと思案した末に小説を完成させているのでしょうが、作品自体には「頑張った！」という痕跡もなければ、「すごいだろ」と鼻を膨らませるような気配もありません。隅々まで神経が行き届いている丁寧な文章は、決して難解ではありません。社会問題を作中に取り入れたとしても（この「恋愛雑用論」のように）、そのことで作品を把握できてしまうような、単純なものにはなっていません。では、何の変哲もない日常をスケッチするだけの、「雰囲気だけの小説」なのかといえばまったくそうではなく、そこには、人の日々の営みにおける大変なことや面倒なこと、（喜怒哀楽に分類できない）複雑な感情について書かれています。

　小説を書く「天賦の才」を与えられた人がいるのだとすれば、まさに絲山秋子さんがそうなのだろうな、とよく思います。どの短編を選ぶべきかは迷いましたが、冒頭の文章から、小説ならではの楽しみに溢れている、この作品にしました。軽やかで読みやすく、たとえば、「小利口くん」という綽名（あだな）の付け方も好きです。

　絲山秋子さんの小説は、本当に小説が好きな人、小説が必要な人のために存在してくれているような気がしますし、「絲山秋子の小説が好きだ」という人は、信用したくなってしまいます。

「Geronimo-E, KIA」阿部和重

阿部和重という作家は、僕にとって（おそらく、同世代で文学が好きだった人たちに

とっても）憧れの存在です。文体や構成に工夫を凝らしながらも、それまでの純文学の雰囲気とは明らかに違う、映画や漫画といったほかの分野の面白さを取り込んだ作品を発表し、しかもそれは、生真面目で退屈なものではなく、暴力や不謹慎さ、不真面目さに満ちていたものなのですから、「非常に頭の良い不良の先輩」のような魅力と怖さを（同業者としては嫉妬を）感じずにはいられませんでした。「文学」と「エンターテインメント小説」の境界を吹き飛ばす、「読み応え」と「ハチャメチャに面白い」を両立させた大作『シンセミア』が世に出た時には、「これが僕たちの時代の文学だ」と感動したのを覚えています。

今回収録した「Geronimo-E, KIA」は、まさに阿部和重さんしか書けない短編小説です。二〇〇一年のアメリカ同時多発テロの首謀者と言われる、ウサマ・ビン・ラディンの暗殺計画（タイトルは、その計画に関係したフレーズのようです）に関心を持ち、それを小説化したいと考える作家はいるかもしれません。ただ、ドキュメンタリー的に描いたり、関係者の誰かのドラマとして書くことは思いついても、その暗殺計画を、近未来のVR的なゲームの演目とし、その大会に出場する中高生のeスポーツとして表現しよう（現実の国家が実行した暗殺と「スポ根もの」の面白さを融合させよう）と考える作家がほかにいるでしょうか。抑制の効いた文体で、暗殺計画を競技としてこなす様子を禁欲的にトレースしていくことで、臨場感とともに、どこか不謹慎で、皮肉に満ちた雰囲気すら滲んでくるのですから、すごい小説です。まず思いつくことができませんし、仮に思いついたとしても、小説として完成させられません。

「悟浄歎異」中島敦

今回、このアンソロジーを作る過程で気づいたことは、「お気に入りの作家を知ったきっかけを思い出していくと、国語の授業だった、というケースが多い」ということでした。「勉強として強制的に読まされる」わけですから、どこかしぶしぶ読んでいたはずで（おまけに、中島敦さんの「山月記」は冒頭を暗記させられるという面倒なことまでさせられたので）、もっと嫌な印象を抱いても良さそうなのですが、井伏鱒二さん然り、中島敦さん然り、「これはいいなあ」と感じ、ほかの作品についても読みたくなったのですから、やはりそれだけその作品が魅力的だった、ということなのでしょう。

この「悟浄歎異」は、別の短編「悟浄出世」とともに、「わが西遊記」というシリーズで（二作で終わってしまっていますが）、そのタイトルからも想像できるように、『西遊記』を下地にした作品です。もしかすると今で言うところの「二次創作」のようなもの、と言ってもいいのかもしれません。

『西遊記』における主たる登場人物は、三蔵法師とそれに付き添う孫悟空、猪八戒、沙悟浄ですが、その沙悟浄の一人称による小説というアイディアにはっとさせられましたし、何より、理知的でナイーブ、思慮深い沙悟浄の視点が新鮮でした。沙悟浄は、「悟空は確かに天才だ」と語り、その能力を分析したり、欲を楽しむ八戒の享楽的な生き方の裏側を見抜き、「軽蔑することを止めた」と述懐したりするのですが、内省的な沙悟浄の目から見ると、『西遊記』はこれほど奥行きがあり、静かで思索的なものだったのか、と感動させられます。

さらにラストが僕はとても好きで、読み終えるといつも、この小説自体をぎゅっと抱きしめたくなるような気持ちにさせられます。一人で星を眺めながら思案を巡らせた後、三蔵法師のもとに戻り、その眠る顔を見て、寝息を聞き、何かを感じる沙悟浄、いったいどのような思いが彼の胸に去来したのかはよく分からないのですが、その場面がとてつもなく美しいものに感じられ、胸が詰まるのです。

本来なら、二作しかないとはいえ連作ですから、一作目の「悟浄出世」を収録すべきだったのかもしれませんが、このラストをぜひ読んでほしかったため、こちらを選びました。

叶わぬ夢ですが、中島敦さんがどうにかこの連作を完成させてくれないか、という気持ちをどうしても抱いてしまいます。

「ＫＩＳＳ」島村洋子

僕の好みの傾向から、このアンソロジーに選んだ小説は、どちらかといえば、少し奇妙なお話や、馬鹿馬鹿しさ、若干の捻りがあるものが多くなりましたが、それに比べると、この作品はかなりストレートな小説と言えるかと思います。

デビューして数年経ったころ、「恋愛小説」を執筆する依頼がありました。それまで僕は、恋愛小説に分類されるものを読んでこなかったこともあり、いったいどういうものを書けばいいのか（どういうものだったら、自分らしいものになるのか）途方に暮れ、参考になるもの、お手本になるものを探し、いくつか有名な恋愛小説や恋愛小説のアンソロジーを読みました。当然ながら読めばいずれの小説も面白く、感銘を受けたものの、やはり恋愛ものに対する感度が低いからか、「これは好きだ！」と言いたくなる作品はなかなか見つかりませんでした。そういった中で出会ったのが、この島村洋子さんの短編小説です。「恋愛物」に求められている「甘さ」を楽しめる一方で、主人公が振り返る、ある女性との思い出には寂しさや切なさが滲んでおり、その二人の関係性や距離感が非常に好みだったのでしょう、「こういったものを自分も書きたい」と思うことができました。終盤、主人公の携帯電話が二回鳴る場面が（それに対する主人公の行動も）印象的で、あっさりと描かれてはいますがとても好きです。

島村洋子さんの別作品「七夕の春」も、寂しさの滲む良い作品で、どちらを選ぶのか悩んだのですが（どちらの作品も事あるたびに思い出します）、胸が弾む愉しさのあるこちらにしました。

「蠅」横光利一

十数年前、自分の担当編集者に勧められたのをきっかけに読んだのですが（それがはじめて読んだ横光さんの小説だったのですが）、一読、「こんなに僕好みの小説があったのか」と感動しました。短編としてもかなり短く、あっという間に読み終わってしまいますが、馬にまとわりつく蠅からはじまり、その蠅が飛んでいくところで終わる構成も好きですし、その蠅のおかげで、馬車にかかわる人間たちの言動のあれやこれや、悲劇的な結末を、生々しいものではなく、どこか遠くから動物の生態を眺めるような感覚で味わうことができます。将棋を指しながら饅頭が蒸し上がるのを待つ馭者や、母子の微笑ましい会話など、映像的な部分もあるものの、この、人間の営みを淡々と眺める面白さを味わえるのは、やはり小説ならではだな、と思います。

「最後の伝令」筒井康隆

小説でできることは大半が筒井康隆さんがやっている、とそう思いたくなることがよくあります。文章表現だからできること、俗に言う「実験的」なことを思い付き、「これは斬新かもしれない」と興奮したものの、「ああ、すでに筒井康隆さんの小説がやっているな。しかも数十年前に」とがっくり来てしまう体験をしたのは、おそらく僕だけではないはずです。普通の作家が考え付くような趣向や遊び、実験はやり尽くしているのでしょう。

この「最後の伝令」は、乱暴に説明すれば、「人間の体内の様子」を擬人化し、物語にしたものです。

そのこと自体は思いつく人がいるかもしれませんが、筒井康隆さんの恐ろしいところは、その擬人化による表現を、こちらの常識的な理解（置き換え）では収まりきらないくらいの、自由奔放な想像力で拡張していくところです。

主人公の「おれ」は、体内の情報細胞です。その彼が脳に大事な情報を伝えにいく旅を、擬人化して描いています。「食道街のセンター・ビルからエレベーターに乗る」だとか、「小葉間静脈沿線の高速鉄道」だとか、そういった用語が出てきますが、ここまではいわゆる擬人化的な手法として受け入れられますし、それなりに頭の中で想像することができます。が、「腹壁内部、松林の外れに庭園があり、その離れの茶室の壁には、胃壁のシミュレーションが映されている」となると、だんだん、「え？　どういうこと？」と頭の理解が追いついてこなくなりますし、情報細胞である「おれ」が「まだ結婚したばかりなんだが、彼女に別れを告げてる時間はないかな」と言ったり、主人公と同じく体内の何らかの物質である「事務員」が「死ぬまでに一回でいいから赤い靴下はいて地下鉄に乗りたかったんだよな」と嘆いたりするものですから、「ええと、どういうこと？　何がどうなっているの？　どう解釈すればいいの？」と「？」がいくつも浮かび上がり、慌ててしまいます。

ただ、この「？」は決して不快なものではありません。「なんなのこれ」と動揺しつつも、想像力が刺激される気持ちよさしかありません。極めつけは、「メリーさん」でしょう。何なんでしょうか、メリーさん。誰なんでしょう。

脳にいるメリーさんが、とてつもなく重要な存在なのは伝わってきます。「これは命の比喩？」「自意識的なもの？」と考えてみるものの、いずれも辻褄が合いません。ただ、何か体内で大変なことが起きているのは分かります。

さらに、最後の最後、砂埃を立て、驀進してくる人影はいったい何なのでしょうか（誰か教えてください）。よく分からないけれど、恐ろしそうですし、くらくらしてきます。

分かる人には分かるのでしょうが、まったく分からない僕みたいな人にとっても、無類に面白いことは間違いありません。恐るべき作家の恐るべき傑作です。

「大根奇聞」島田荘司

島田荘司さんがいなければ、その作品がなければ、僕は今、小説を書く仕事はしていなかったと思います。十代の半ばから、島田荘司さんの小説を読むことが日々の生活の中での大きな喜びでした。島田荘司さんは、『本格ミステリー宣言』という本の中で、「作品の冒頭に美しく詩的な謎を、そしてそれを解決する論理を用意すれば、本格ミステリーの傑作ができあがる」と言っていましたから、僕がはじめて小説を書きはじめた時には、当然、それを目指しました。が、結果は無残なものでした。まったくうまくいかず落胆しましたが、よくよく考えてみれば、「美しく詩的な謎」を考えられること自体に才能が必要なのです。島田荘司さん自身にとってそれは難しいことではないにしても、僕からすれば、「ホームランを打てば勝てると教えられたけれど、その、ホームランの打ち方が分からない」という状況だったわけです。自分は島田荘司さんのような小説は書けない、と知り、それならば違う方向で自分の読みたい小説を書くしかないな、と方向転換した結果、僕は今のような小説を書くことになりました。自分に才能があったとすれば、「俺には島田荘司さんのような小説は書けない」と判断でき、それを認められたことだ、と思っています。

島田荘司さんの小説の魅力としては、「独創的な謎」や「大掛かりなトリック」がよく挙げられると思うのですが、島田作品を島田作品たらしめているのは、「独特の物語力」だと個人的には思っています。「仮にまったく同じ謎やトリックを与えてもらったとしても、普通はこういう小説にはならない」と思うような小説が、島田荘司さんの手にかかると出来上がります。さらに、島田荘司さんの作品には、立場の弱い人に寄り添う視線が常に感じられ、その部分にも僕は惹き付けられました。
アンソロジーに入れるのならば、島田荘司さんの短編の中でも、名探偵、御手洗潔が出てくるものがいい、とは決めていました。おそらく、世の中に存在するフィクションの登場人物の中で、僕が最も好きな人物が「御手洗潔」のような気もします。ただ、ぱっと頭に浮かぶ作品はすでにいくつかの本に収録されていますし、ミステリー小説が好きだからこそ傑作に感じるところもあるように感じました。結果的に選んだのは、「江戸時代に起きた謎」を巡るこの「大根奇聞」です。史実とは異なる、あくまでも作り話だということですが、「こういうことがあったのかもしれない」と読者をねじ伏せてくる、(島田荘司さん特有の)得体のしれない説得力が、この短編小説にもあります。肝心の御手洗潔がほとんど登場しないにもかかわらず、満足度の高いところも素晴らしいと思います。

「人間の羊」大江健三郎
大学生のころ、大江健三郎さんの小説に出会い、「小説とはこんなに面白いものなのか」と知りました。「面白い」と一言で簡単に言ってしまっては誤解を招くかもしれません。

小説とはこれほど読み応えがあるものなのか。文章を読んでいるだけでこれほど頭が刺激されるものなのか。そして、これほどまでに人間の恐ろしさや脆さ、不気味さや青臭さを、文章で伝えることができるのか。何より、どこまでが現実なのか分からなくなる、リアルな話と神話がまざったような小説がこれほど魅力的なのか、ということを教えてもらった気がします。

大江健三郎さんに関しては、今でも時折、思い出すことがあります。大学卒業間際、短い期間、塾の先生のアルバイトをしていた時期があるのですが、ちょうどその時、大江健三郎さんがノーベル文学賞を受賞しました。朝、塾に到着すると、社員の方が新聞を広げ、「この作家、知ってる?」と聞いてきました。一面に大きく、ノーベル文学賞受賞の記事があったのです。前のめりになるのを抑え、「はい、好きです」と返事をしたのですが、そこで、「どういう小説を書くの?」と言われると、まったく答えることができませんでした。おそらく記事に載っていたのでしょう、相手は、「四国?」「森?」とキーワードらしきものを口にしてくるものの、「そういう小説ではないのだ」「そんなことは関係ない!　一言では言えないのだ」と心の中で声を上げつつ、結果的に何も言えませんでした(「とにかく面白いんです」と最低レベルの説明は口にしたのかもしれません)。その時、大江健三郎さんの小説の凄さをきちんと説明できなかった自分の不甲斐なさを、今も忘れていませんが、とはいえ、今なら答えられるかと言えば自信がありません。

ただ、強いて言うならば（口語的な言葉を用いることを許してもらえるのならば）、「大江健三郎の小説はとにかくやばい」、それに尽きる気もします。

よく言われるように、僕たちが使う、「やばい」にはさまざまな意味があります。若者の言葉として浸透していくに連れ、「あやしい」「おもしろい」「感動した」「危険だ」「格好いい」「格好悪い」「おそろしい」などなど、さまざまな意味が込められるようになりました。それらすべてが、大江健三郎さんの小説からは感じられます。

僕の好きな大江健三郎さんの作品は長編が多いため、アンソロジーに何を収録すべきかは悩みましたが、「人間の羊」を選ぶことにしました。

まえがきにも書きましたように、「できるだけ多くの読者に小説の面白さを知ってもらうため、恐ろしいもの、読後に暗い気持ちになるものは、良い作品であっても外そう」と決めていたにもかかわらず、不気味で、「いい話」とは決して言えないこの作品を収録しないわけにはいきませんでした。

「人間の羊」は、はじめからおしまいまで、不穏な空気で満ちています。作中で描かれる、バスの中での外国兵の行いは（奇妙なせいか、寓話的にも思えますが）非常に不快で、憤りを覚えます。初めて読んだ時は、この作中の加害者をどうにかしてやりたい（懲らしめたい）という思いと、被害者をどうにかしてあげたい（助けたい）という思いがまじり合い、奇妙な興奮を覚えましたが、続きを読み進めていくうち、その自分の昂りが、主人公につき纏う教員と重なっていくことに気づき、居心地の悪さを感じました。

人間はやばい、そしてその人間の中には当然、わたしやあなた自身も含まれている、と大江健三郎さんの小説は言ってきます。

新しい言葉や比喩を見つける感覚が規格外に優れ、現実がねじ曲がっていくような物語を描いていく大江健三郎さんは、僕にとって唯一無二の小説家で、その凄さ、「やばさ」は普遍的です。ずっと読み継がれてほしいと思わずにはいられません。

以上が『小説の惑星』の「オーシャンラズベリー篇」に収録した小説です。

だらだらと、蛇足めいたことを書いてしまいましたが、言うまでもなくこの本において大事なのは、僕の文章ではなく収録した短編小説のほうですので、この長々とした文が足を引っ張るようなことがなければいいな、と祈るような気持ちです。みなさんが楽しんで、「小説も面白いなあ」と少しでも感じていただければ幸せですし、良ければ、「ノーザンブルーベリー篇」のほうも気にしてもらえると嬉しいです。

底本一覧

永井龍男「電報」（『青梅雨』一九六九年、新潮文庫）
絲山秋子「恋愛雑用論」（『忘れられたワルツ』二〇一八年、河出文庫）
阿部和重「Ｇｅｒｏｎｉｍｏ－Ｅ，ＫＩＡ」（『Ｄｅｌｕｘｅ Ｅｄｉｔｉｏｎ』二〇一六年、文春文庫）
中島敦「悟浄歎異」（『中島敦全集２』一九九三年、ちくま文庫）
島村洋子「ＫＩＳＳ」（島村洋子ほか『Ｆｒｉｅｎｄｓ　恋愛アンソロジー』二〇〇五年、祥伝社文庫）
横光利一「蠅」（『日輪・春は馬車に乗って』一九八一年、岩波文庫）
筒井康隆「最後の伝令」（『最後の伝令』一九九六年、新潮文庫）
島田荘司「大根奇聞」（『最後のディナー』二〇一二年、文春文庫／一九九九年、原書房）
大江健三郎「人間の羊」（『死者の奢り・飼育』一九五九年、新潮文庫）

本書はちくま文庫のためのオリジナル編集です。

収録作品の中には今日の人権意識等に照らし合わせると不適切な表現が含まれているものもありますが、文学的価値を鑑み、そのままとしました。

現代語訳 舞姫 森鷗外 井上靖訳

古典となりつつある鷗外の名作を井上靖の現代語訳で読む。無理なく作品を味わうための語注・資料を付す。原文も掲載。監修＝山崎一穎

こころ 夏目漱石

友を死に追いやった「罪の意識」によって、ついには人間不信にいたる悲惨な心の暗部を描いた傑作。詳しく利用しやすい語注付。（小森陽一）

英語で読む 銀河鉄道の夜（対訳版） 宮沢賢治 ロジャー・パルバース訳

“Night On The Milky Way Train”（銀河鉄道の夜）賢治文学の名篇が香り高い訳で生まれかわる。文庫オリジナル。井上ひさし氏推薦。（高橋康也）

百人一首 鈴木日出男

王朝和歌の精髄、百人一首を第一人者が易しく解説。現代語訳、鑑賞、作者紹介、語句・技法を見開きにコンパクトにまとめた最良の入門書。

今昔物語 福永武彦訳

平安末期に成り、庶民の喜びと悲しみを今に伝える今昔物語。訳者自身が選んだ155篇の物語は名訳を得て、より身近に蘇る。（池上洵一）

私の「漱石」と「龍之介」 内田百閒

師・漱石を敬愛してやまない百閒が、おりにふれて綴った師の行動と面影とエピソード。さらに同門の友、芥川との交遊を収める。（武藤康史）

阿房列車 ——内田百閒集成1 内田百閒

「なんにも用事がないけれど、汽車に乗って大阪へ行って来ようと思う」。上質のユーモアに包まれた、紀行文学の傑作。（和田忠彦）

教科書で読む名作 夏の花ほか 戦争文学 原民喜ほか

表題作のほか、審判（武田泰淳）／夏の葬列（山川方夫）／夜（三木卓）など収録。高校国語教科書に準じた傍注や図版付き。併せて読みたい名評論も。

名短篇、ここにあり 北村薫 宮部みゆき編

読み巧者の二人の議論沸騰し、選びぬかれたお薦め小説12篇。となりの宇宙人／冷たい仕事／隠し芸の男／少女架刑／あしたの夕刊／網／誤訳ほか。

猫の文学館Ⅰ 和田博文編

寺田寅彦、内田百閒、太宰治、向田邦子……いつの時代も、作家たちは猫が大好きだった。猫の気まぐれに振り回されている猫好きに捧げる47篇!!

品切れの際はご容赦ください

沈黙博物館　小川洋子
「形見じゃ」老婆は言った。死の完結を阻止するために形見が盗まれる。死者が残した断片をめぐるやさしくスリリングな物語。（堀江敏幸）

星間商事株式会社社史編纂室　三浦しをん
二九歳「腐女子」川田幸代、社史編纂室所属。恋の行方も友情の行方も五里霧中。仲間と共に「同人誌」を武器に社の秘められた過去に挑む⁉（金田淳子）

つむじ風食堂の夜　吉田篤弘
それは、笑いのこぼれる夜。——食堂は、十字路の角にぽつんとひとつ灯をともしていた。クラフト・エヴィング商會の物語作家による長篇小説。

通天閣　西加奈子
このしょーもない世の中に、救いようのない人生に、ちょっぴり暖かい灯を点す驚きと感動の物語。第24回織田作之助賞大賞受賞作。（津村記久子）

この話、続けてもいいですか。　西加奈子
ミッキーこと西加奈子の目を通すと世界はワクワク、ドキドキ輝く。いろんな人、出来事、体験がてんこ盛りの豪華エッセイ集！（中島たい子）

君は永遠にそいつらより若い　津村記久子
22歳処女。いや「女の童貞」と呼んでほしい——。日常の底に潜むうっすらとした悪意を独特の筆致で描く。第21回太宰治賞受賞作。（松浦理英子）

アレグリアとは仕事はできない　津村記久子
彼女はどうしようもない性悪だった。すぐ休み単純労働をバカにし男性社員に媚を売る。大型コピー機とミノベとの仁義なき戦い！（千野帽子）

まともな家の子供はいない　津村記久子
セキコには居場所がなかった。うちには父親がいる。うざい母親、テキトーな妹。まともな家なんてどこにもない！　中3女子、怒りの物語。（岩宮恵子）

こちらあみ子　今村夏子
あみ子の純粋な行動が周囲の人々を否応なく変えていく。第26回太宰治賞、第24回三島由紀夫賞受賞作。書き下ろし「チズさん」収録。（町田康／穂村弘）

さようなら、オレンジ　岩城けい
オーストラリアに流れ着いた難民サリマ。言葉も不自由な彼女が、新しい生活を切り拓いてゆく。第29回太宰治賞受賞・第150回芥川賞候補作。（小野正嗣）

冠・婚・葬・祭　中島京子

人生の節目に、起こったこと、出会ったひと、考えたこと。冠婚葬祭を切り口に、鮮やかな人生模様が描かれる。第143回直木賞作家の代表作。（瀧井朝世）

とりつくしま　東直子

死んだ人に「とりつくしま係」が言う。モノになってこの世に戻れますよ。妻は夫のカップに弟子は先生の扇子になった。連作短篇集。（大竹昭子）

虹色と幸運　柴崎友香

珠子、かおり、夏美。三〇代になった三人が、人に会い、おしゃべりし、いろいろ思う一年間。移りゆく季節の中で、日常の細部が輝く傑作。（江南亜美子）

星か獣になる季節　最果タヒ

推しの地下アイドルが殺人容疑で逮捕!? 僕は同級生のイケメン森下と真相を探るが——。歪んだピュアネスが傷だらけで疾走する新世代の青春小説！

ピスタチオ　梨木香歩

棚（たな）がアフリカを訪れたのは本当に偶然だったのか。不思議な出来事の連鎖から、水と生命の壮大な物語「ピスタチオ」が生まれる。（管啓次郎）

図書館の神様　瀬尾まいこ

赴任した高校で思いがけず文芸部顧問になってしまった清（きよ）。そこでの出会いが、その後の人生を変えてゆく。鮮やかな青春小説。（山本幸久）

マイマイ新子　髙樹のぶ子

昭和30年山口県国衙。きょうも新子は妹や友達と元気いっぱい。戦争の傷を負った大人、変わりゆく時代、その懐かしく切ない日々を描く。（片渕須直）

話虫干　小路幸也

夏目漱石「こころ」の内容が書き変えられた！　それは話虫の仕業。新人図書館員が話の世界に入り込み、「こころ」をもとの世界に戻そうとするが……。

包帯クラブ　天童荒太

傷ついた少年少女達は、戦わないかたちで自分達の大切なものを守ることにした。生きがたいと感じるすべての人に贈る長篇小説。大幅加筆して文庫化。

うれしい悲鳴をあげてくれ　いしわたり淳治

作詞家、音楽プロデューサーとして活躍する著者の小説&エッセイ集。彼が「言葉」を紡ぐと誰もが楽しめる「物語」が生まれる。（鈴木おさむ）

飛田ホテル 黒岩重吾

刑期を終えたやくざ者に起きた妻の失踪を追う表題作など、大阪のどん底で交わる男女の情と性。直木賞作家の傑作ミステリ短篇集。（難波利三）

あるフィルムの背景 結城昌治 日下三蔵編

普通の人間が起こす歪んだ事件、そこに至る絶望を描き、思いもよらない結末を鮮やかに提示する。昭和ミステリの名手、オリジナル短篇集。

赤い猫 仁木悦子 日下三蔵編

爽やかなユーモアと本格推理、そしてほろ苦さを少々。日本推理作家協会賞受賞の表題作ほか〈日本のクリスティー〉の魅力をたっぷり堪能できる傑作選。

兄のトランク 宮沢清六

兄・宮沢賢治の生と死をそのかたわらでみつめ、兄の死後も烈しい空襲や散佚から遺稿類を守りぬいてきた実弟が綴る、初のエッセイ集。

落穂拾い・犬の生活 小山清

明治の匂いの残る浅草に育ち、純粋無比の作品を遺して短い生涯を終えた小山清。いまなお新しい、清らかな祈りのような作品集。（三上延）

真鍋博のプラネタリウム 真鍋博 星新一

名コンビ真鍋博と星新一。二人の最初の作品『おーいでてこーい』他、星作品に描かれた挿絵と小説冒頭をまとめた幻の作品集。（真鍋真）

熊撃ち 吉村昭

人を襲う熊、熊をじっと狙う熊撃ち。大自然のなかで、実際に起きた七つの事件を題材に、孤独で忍耐強い熊撃ちの生きざまを描く。

川三部作
泥の河／螢川／道頓堀川 宮本輝

太宰賞「泥の河」、芥川賞「螢川」、そして「道頓堀川」と、川を背景に独自の抒情をこめて創出した、宮本文学の原点をなす三部作。

私小説 from left to right 水村美苗

12歳で渡米し滞在20年目を迎えた「美苗」。アメリカにも溶け込めず、今の日本にも違和感を覚え……。本邦初の横書きバイリンガル小説。

ラピスラズリ 山尾悠子

言葉の海が紡ぎだす、〈冬眠者〉と人形と、春の目覚めの物語。不世出の幻想小説家が20年の沈黙を破り発表した連作長篇。補筆改訂版。（千野帽子）

尾崎翠集成（上・下）　尾崎翠　中野翠 編

鮮烈な作品を残し、若き日に音信を絶った謎の作家・尾崎翠。時間と共に新たな輝きを加えてゆくその文学世界を集成する。

クラクラ日記　坂口三千代

戦後文壇を華やかに彩った無頼派の雄・坂口安吾との、嵐のような生活を妻の座から愛と悲しみをもって描く回想記。巻末エッセイ＝松本清張

貧乏サヴァラン　森茉莉　早川暢子 編

オムレット、ボルドオ風茸料理、野菜の牛酪煮……。食いしん坊茉莉は料理自慢。香り豊かな〝茉莉ことば〟で綴られる垂涎の食エッセイ。文庫オリジナル。

紅茶と薔薇の日々　森茉莉　早川茉莉 編

天皇陛下のお菓子に洋食店の味、庭に実る木苺……森鷗外の娘にして無類の食いしん坊、森茉莉が描く懐かしく愛おしい美味の世界。（辛酸なめ子）

ことばの食卓　武田百合子　野中ユリ・画

なにげない日常の光景やキャラメル、枇杷など、食べものに関する昔の記憶と思い出を感性豊かな文章で綴ったエッセイ集。（種村季弘）

遊覧日記　武田百合子　武田花・写真

行きたい所へ行きたい時に、つれづれに出かけてゆく。一人で。または二人で。あちらこちらを遊覧しながら綴ったエッセイ集。（巖谷國士）

わたしは驢馬に乗って下着をうりにゆきたい　鴨居羊子

新聞記者から下着デザイナーへ。斬新で夢のある下着を世に送り出し、下着ブームを巻き起こした女性起業家の悲喜こもごも。（近代ナリコ）

私はそうは思わない　佐野洋子

佐野洋子は過激だ。ふつうの人が思うようには思わない。大胆で意表をついたまっすぐな発言をする。だから読後が気持ちいい。（群ようこ）

神も仏もありませぬ　佐野洋子

還暦……もう人生おりたかった。でも春のきざしの蕗の薹に感動する自分がいる。意味なく生きても人は幸せなのだ。第3回小林秀雄賞受賞。（長嶋康郎）

老いの楽しみ　沢村貞子

八十歳を過ぎ、女優引退を決めた著者が、日々の思いを綴る。齢にさからわず、「なみ」に、気楽に、と過ごす時間に楽しみを見出す。（山崎洋子）

遠い朝の本たち　須賀敦子

一人の少女が成長する過程で出会い、愛しんだ文学作品の数々を、記憶に深く残る人びとの想い出とともに描くエッセイ。（末盛千枝子）

おいしいおはなし　高峰秀子編

向田邦子、幸田文、山田風太郎……著名人23人の美味な思い出。文学や芸術にも造詣が深かった往年の大女優・高峰秀子が厳選した珠玉のアンソロジー。

るきさん　高野文子

のんびりしていてマイペース、だけどどっかヘンテコな、るきさんの日常生活って？　独特な色使いが光るオールカラー。ポケットに一冊どうぞ。

それなりに生きている　群ようこ

日当たりの良い場所を目指して仲間を蹴落とすカメ、迷子札をつけているネコ、自己管理している犬。文庫化に際し、二篇を追加して贈る動物エッセイ。

うつくしく、やさしく、おろかなり　杉浦日向子

生きることを楽しもうとしていた江戸人たち。彼らの紡ぎ出した文化にとことん惚れ込んだ著者がその思いの丈を綴った最後のラブレター。（松田哲夫）

ねにもつタイプ　岸本佐知子

何となく気になることにこだわる、ねにもつ。思索、奇想、妄想はばたく脳内ワールドをリズミカルな名短文でつづる。第23回講談社エッセイ賞受賞。

回転ドアは、順番に　穂村弘　東直子

ある春の日に出会い、そして別れるまで。気鋭の歌人ふたりが、見つめ合い呼吸をはかりつつ投げ合う、スリリングな恋愛問答歌。（金原瑞人）

絶叫委員会　穂村弘

町には、偶然生まれては消えてゆく無数の詩が溢れている。不合理でナンセンスで真剣だからこそ可笑しい、天使的な言葉たちへの考察。（南伸坊）

杏のふむふむ　杏

連続テレビ小説「ごちそうさん」で国民的な女優となった杏が、それまでの人生を、人との出会いをテーマに描いたエッセイ集。（村上春樹）

月刊佐藤純子　佐藤ジュンコ

注目のイラストレーター（元書店員）のマンガエッセイが大増量してまさかの文庫化！　仙台の街や友人との日常を描く独特のゆるふわ感はクセになる！

ねぼけ人生〈新装版〉　水木しげる
戦争で片腕を喪失、紙芝居・貸本漫画の時代と、波瀾万丈の人生を、楽天的に生きぬいてきた水木しげるの、面白くも哀しい半生記。（呉智英）

「下り坂」繁盛記　嵐山光三郎
人の一生は、「下り坂」をどう楽しむかにかかっている。真の喜びや快感は「下り坂」にあるのだ。あちこちにガタがきても、愉快な毎日が待っている。

向田邦子との二十年　久世光彦
あの人は、あり過ぎるくらいあった始末におえない胸の中のものを誰にだって、一言も口にしない人だった。時を共有した二人の世界。（新井信）

旅に出る ゴトゴト揺られて本と酒　椎名誠
旅の読書は、漂流モノと無人島モノと一点こだわりガンコ本！　本と旅とそれから派生していく自由な思いのつまったエッセイ集。（竹田聡一郎）

昭和三十年代の匂い　岡崎武志
テレビ購入、不二家、空地に土管、トロリーバス、くみとり便所、少年時代の昭和三十年代の記憶をたどる。巻末に岡田斗司夫氏との対談を収録。

本と怠け者　荻原魚雷
日々の暮らしと古本を語り、古書に独特の輝きを与えた「ちくま」好評連載「魚雷の眼」を、一冊にまとめた文庫オリジナルエッセイ集。（岡崎武志）

増補版 誤植読本　高橋輝次編著
本と誤植は切っても切れない⁉　恥ずかしい打ち明け話や、校正をめぐるあれこれなど、作家たちが本音を語り出す。作品42篇収録。（堀江敏幸）

わたしの小さな古本屋　田中美穂
会社を辞めた日、古本屋になることを決めた。倉敷の空気、古書がつなぐ人の縁、店の生きものたち……。女性店主が綴る蟲文庫の日々。（早川義夫）

ぼくは本屋のおやじさん　早川義夫
22年間の書店としての苦労と、お客さんとの交流。どこにもありそうで、ない書店。30年来のロングセラー！（大槻ケンヂ）

たましいの場所　早川義夫
「恋をしていいのだ。今を歌っていくのだ」。心を揺るがす本質的な言葉。文庫用に最終章を追加。帯文＝宮藤官九郎　オマージュエッセイ＝七尾旅人

ちくま文庫

小説(しょうせつ)の惑星(わくせい)　オーシャンラズベリー篇(へん)

二〇二一年十二月十日　第一刷発行

編　者　伊坂幸太郎（いさか・こうたろう）

発行者　喜入冬子

発行所　株式会社　筑摩書房
東京都台東区蔵前二―五―三　〒一一一―八七五五
電話番号　〇三―五六八七―二六〇一（代表）

装幀者　安野光雅

印刷所　中央精版印刷株式会社

製本所　中央精版印刷株式会社

ISBN978-4-480-43771-6　C0193